história da
Pedagogia

Henri Wallon

Afetividade e construção do sujeito

A psicogenética walloniana e sua importância para os estudos contemporâneos

Teresa Cristina Rego - Organizadora

1ª edição
São Paulo, 2018

Editora Segmento

Dados Internacionais de Catalogação na Publicação (CIP)
(Câmara Brasileira do Livro, SP, Brasil)

Henri Wallon : afetividade e construção do sujeito :
a psicogenética walloniana e sua importância
para os estudos contemporâneos / Teresa Cristina
Rego, organizadora. -- 1. ed. -- São Paulo :
Editora Segmento, 2018. -- (História da pedagogia)
Vários autores.
Bibliografia.
ISBN 978-85-89636-30-8
1. Afeto (Psicologia) 2. Crianças -
Desenvolvimento 3. Educação - História 4. Pedagogia -
História 5. Psicologia 6. Psicologia educacional
7. Psicologia genética I. Rego, Teresa Cristina.
II. Série.
18-19125 CDD-370.9

Índices para catálogo sistemático:
1. Educação : História 370.9
2. Pedagogia : História 370.9
Cibele Maria Dias - Bibliotecária - CRB-8/9427

Introdução

PSICOGÊNESE DA PESSOA

O francês Henri Wallon (1879-1962) é um autor que desperta já há um bom tempo grande interesse nas áreas de psicologia e educação, especialmente no contexto europeu, onde é considerado - juntamente com Jean Piaget e Lev Vigotski - um dos expoentes da chamada psicologia genética (campo que estuda as funções psíquicas à luz de sua gênese e evolução). No Brasil, embora muito respeitado no meio acadêmico (graças particularmente ao pioneiro trabalho de divulgação de Pedro da Silva Dantas e de sua filha Heloysa Dantas), sua obra ainda é pouco conhecida na área educacional. Uma justificativa para tal fato deve-se à complexidade de sua teoria e à dificuldade de os leitores iniciantes decifrarem seus herméticos e densos textos, marcados por uma terminologia médica e conceitos sofisticados. Essa é uma das principais razões que nos levaram a escolhê-lo como o terceiro autor a ser apresentado nesta coleção.

Entendemos que, decorridos quase cinquenta anos de sua morte, já está mais do que na hora de auxiliar na divulgação de suas ideias, permitindo o contato de um público mais amplo com o pensamento crítico, pioneiro, vigoroso e atual deste médico, psicólogo e pesquisador que foi também um importante militante político em defesa da educação.

Ainda que o legado de sua obra comprove que seu foco tenha sido a construção da psicogênese da pessoa, com inspiração nas premissas do materialismo dialético, e, sobretudo, o estudo dos vínculos existentes entre os domínios afetivo, cognitivo e motor, o exame de sua trajetória evidencia seu crescente envolvimento com a educação. Wallon foi, como outros humanistas de seu tempo, um intelectual engajado no debate e militância educacionais de sua época (assunto que chegou a tratar em alguns de seus escritos). Para ele a escola era um local promotor de desenvolvimento infantil e, simultaneamente, um lugar privilegiado para o estudo da criança. Como esclarece Nascimento, em um dos artigos aqui publicados, Wallon "considerava a educação como fonte de questões para a psicologia, que, por sua vez, a partir de suas pesquisas, poderia oferecer elementos para mudanças nas práticas pedagógicas, o que indica uma relação de reciprocidade entre as duas áreas, ou seja, considerá-las complementares numa mesma atitude experimental, a partir de fatos observáveis".

Os autores reunidos neste livro convidam o leitor a conhecer aspectos ainda pouco explorados sobre as origens, fundamentos e desdobramentos para a reflexão pedagógica da perspectiva walloniana. Esperamos que esta seja uma boa oportunidade para colaborar para a difusão de tão importante obra no cenário brasileiro.

Vale informar que o conteúdo do presente livro foi originalmente publicado como um dos fascículos da Série História da Pedagogia, coleção especial da Revista Educação - Editora Segmento. Tal série – editada por Rubem Barros e por mim concebida e coordenada - foi vendida em bancas e livrarias de todo o país durante o ano de 2010, com expressiva receptividade do público leitor. Esta é a principal razão que nos motivou a publicar os textos das revistas em forma de livros.

Teresa Cristina Rego é professora
da Faculdade de Educação da USP

UM PENSADOR SEM MEDO DA CONTRADIÇÃO

Por Maria Letícia Barros Pedroso Nascimento

O materialismo dialético, princípio e método que privilegiou, permitiu que Henri Wallon construísse uma psicologia da criança coerente e singular

Henri Wallon nasceu no final do século XIX em Paris, cidade onde passou toda a sua vida. Conviveu com significativas mudanças nas ordens social, econômica e política da primeira metade do século seguinte, desde a revolução comunista soviética, passando pela efetivação de duas guerras mundiais, até o avanço do fascismo. Viveu, portanto, entre diferentes vertentes filosófico-políticas, num período turbilhonado pelos acontecimentos, tendo participado ativamente, tanto do ponto de vista intelectual quanto da presença física, dos eventos de sua época. Professor e pesquisador, criticou a psicologia de então, estabelecendo um posicionamento diferenciado em relação a seus contemporâneos. Os aspectos sociais e políticos permearam sua produção intelectual, não por acaso, como revela sua biografia.

A INFÂNCIA: O HUMANISMO NA TRADIÇÃO FAMILIAR

Nascido numa família da alta burguesia do norte da França, quatro anos após a efetivação da Terceira República francesa, era neto de Henri Alexandre Wallon (1812-1904), deputado responsável pela introdução da palavra república na Constituição Francesa de 1875. Seu avô era também historiador, tendo sucedido

Jules Michelet (1798-1874) – primeiro historiador a afirmar que os principais agentes das mudanças sociais eram as massas, originando os ideais da Revolução Francesa – na Universidade. Era o terceiro filho de uma família de sete irmãos. O pai, o arquiteto Paul Alexandre Joseph Wallon, era funcionário do governo, e tinha como passatempo favorito pintar aquarelas. A mãe, Sophie Marguerite Zoé Allart, era dona de casa. Na família, a tradição liberal imperava, e o pequeno Henri, durante sua infância, conviveu com o pensamento democrático e republicano. Em entrevista publicada na revista Enfance, em 1968, relatou que a morte de Victor Hugo era uma de suas primeiras recordações, pois, na noite em que o escritor faleceu, depois do jantar, seu pai leu alguns fragmentos de Les Châtiments, e, no dia seguinte, pela manhã, levou os filhos à casa de Hugo, e explicou que o poeta era contra a tirania. Wallon tinha então 6 anos de idade.

O episódio vivido pelo general Boulanger, que o alcançou aos 10 anos, e o caso Dreyfus, ocorrido quando prestava serviço militar, foram situações que acompanhou – e que contribuíram para perguntar-se sobre a natureza das relações entre os seres humanos. A importância dada ao humanismo, à influência liberal e à crença na transformação perpetrada pelo homem na realidade o levaram a optar pelo materialismo dialético como orientação filosófico-política e como abordagem para a compreensão dos fenômenos psíquicos, o que lhe permitiu construir uma psicologia da criança coerente e singular.

CRONOLOGIA

1879
Nasce em Paris, em 13 de junho. Terceiro filho de Paul Alexandre Joseph Wallon (1845-1918) e Sophie Marguerite Zoé Allart (1849-1905).

1899-1902
Cursa a Escola Normal Superior, onde se forma em filosofia.

1902-1903
Professor de filosofia no Liceu de Bar-le-Duc.

1903 – 1908
Estuda medicina, de acordo com a tradição médico-filosófica da psicologia francesa.

OS ESTUDOS: A FILOSOFIA E A MEDICINA COMO CAMINHO PARA A PSICOLOGIA

De acordo com o que era frequente à época de sua juventude, Wallon ingressou na Escola Normal Superior em 1899 e formou-se em filosofia, tornando-se, em seguida, professor efetivo no ensino secundário, no liceu de Bar-le-Duc, onde lecionou por um ano. Seguindo a tradição médico-filosófica de então, iniciada por Ribot (1839-1916), em 1903, cursou medicina, com o objetivo de tornar-se neuropsiquiatra e psicólogo. Ribot sugerira a seus alunos Dumas (1866-1946) e Janet (1859-1947) a realização de estudos médicos como base para os estudos em psicologia, à época atrelada às pesquisas psiquiátricas e psicofisiológicas, nas quais o conhecimento do funcionamento corporal era determinante. Ribot foi o responsável pela primeira cadeira de psicologia no Collège de France. Como a psicologia não existia como campo autônomo, a filosofia e a medicina eram os meios mais seguros para exercer a profissão de psicólogo. Sobre esse interesse, cabe destacar seu depoimento de 1968, no qual Wallon afirma que "minha inclinação para a psicologia fez-se independentemente de qualquer influência exterior [...]. Foi antes de mais nada uma disposição geral, uma questão de gosto, de curiosidade pessoal pelos motivos e razões que levam as pessoas a agir".

Engajado na perspectiva de definir o estatuto científico e a especificidade de uma ciência do homem, Wallon dirigiu sua atenção à neurologia e ao corpo como base material do psiquismo. Buscando compreender as relações entre o biológico e o psíquico e entre o in-

1908
Doutor em medicina, com a apresentação da tese Le Délire de Persécution. Le Delire Chronique à base d'Interprétation [O delírio de perseguição] (Paris: J. Baillière, 1909).

1908-1931
Assistente do Prof. Nageotte, no Hospital de Bicêtre e, posteriormente, no Hospital da Salpêtrière, instituições psiquiátricas, onde atendeu crianças com deficiências neurológicas e distúrbios de comportamento.

1914-1918
Médico do exército francês.
Participa do movimento Compagnons de l'Université Nouvelle, que lançou bases para um ensino renovado.

divíduo e a sociedade, colocou-se contrário a uma concepção metafísica, idealista, defendida por Bergson (1859-1941), que reduzia o psiquismo à vida interior, assim como ao organicismo mecânico, legado por Cabanis (1757-1808), que reduzia o pensamento a mero produto do cérebro, manifestando discordância em relação a seus contemporâneos que pretendiam encerrar o conhecimento psíquico num sistema. Sua recusa em reduzir a psicologia a alguns processos de análise e seu interesse em constituir uma ciência do homem, na qual a complexidade pudesse ser considerada por meio de uma multiplicidade de pontos de vista, fizeram com que defendesse o estudo da pessoa em sua totalidade, ou seja, suas particularidades, seus comportamentos e as relações com os outros, com o cotidiano, o que permitiria compreender a diversidade e as contradições do psiquismo.

Wallon vai atribuir às ideias de Claude Bernard (1813-1878), e sua medicina experimental, e ao doutor Jean Nageotte (1866-1948), de quem foi colaborador e assistente, significativa parcela de influência em seus estudos de psicologia. Sobre o segundo, afirmou que o médico lhe havia aberto os horizontes biológicos, ou seja, das estruturas nervosas que ele interpretava, Wallon passara às estruturas intelectuais. Seu trabalho em hospitais psiquiátricos, com crianças com deficiências neurológicas e distúrbios de comportamento fundamentou as ideias desenvolvidas em seu primeiro livro, A Criança Turbulenta. Esse estudo foi modificado a partir das observações que realizou sobre os soldados feridos na Primeira Guerra, quando, ao tratar dos acidentados e das crises ou síndromes de guerra, começou a se perguntar sobre a

1917
Casamento com Germaine Anne Roussey (Germaine Wallon) em 15 de setembro.

1920-1937
Ministra conferências sobre psicologia da criança na Sorbonne.

1925
Doutor em Letras, com a apresentação da tese L'Enfant Turbulent [A criança turbulenta] (Paris: Alcan, 1925).
Funda o laboratório de Psicobiologia da Criança, em Boulogne-Billancourt, subúrbio de Paris, no qual vai manter atividade até 1953.

relação das emoções com a razão. A experiência o levou a rever algumas das concepções neurológicas que havia delineado. Sua tipologia das síndromes psicomotoras já sugere uma indissociação entre os planos motor e mental, embora a correspondência entre as síndromes e os tipos psicomotores, que compõem o livro, tenha sido contestada e, posteriormente, descartada.

O estudo, entretanto, permitiu-lhe afirmar a necessidade de aproximação entre o patológico e o infantil, ou seja, segundo Heloysa Dantas em A Infância da Razão, neste livro "estão em germe as principais teses metodológicas e de conteúdo da psicologia walloniana", estabelecendo uma concepção de psiquismo, na qual os aspectos motor, emocional e racional se integram e se alternam no desenvolvimento da pessoa.

Wallon, além disso, desde que criara seu modesto laboratório de pesquisa, em 1925, acolhia jovens licenciandos para, com eles, investigar o desenvolvimento psicológico das crianças, empregando testes bastante conhecidos na época para entender seus mecanismos de adaptação escolar e social. Dessa forma, aproximava seu interesse pelo desenvolvimento psicobiológico da criança às pesquisas na educação, na medida em que considerava que deveria haver uma relação de contribuição recíproca entre a psicologia e a pedagogia. Estabeleceu contato com o Movimento da Escola Nova, mantendo relacionamento com outros pesquisadores de formação médica que, como ele, se interessavam pela escola.

Inspirado pelo evolucionismo, colocou-se contrário ao positivismo, linha filosófica à qual atribuía uma atitude de neutralidade, ou seja, via nessa linha, como notou Izabel Galvão, "a intenção de reduzir as

1926
Publica Psychologie Pathologique [Psicologia patológica] (Paris: Alcan, 1926), livro de caráter didático, endereçado aos alunos do Instituto de Psicologia da Universidade de Paris.

1927
Seu laboratório é integrado à École Pratique de Hautes Études, sob sua direção. Presidente da Sociedade Francesa de Psicologia. Cria o Grupo Francês da Nova Escola com Paul Langevin e Henri Piéron.

1929
Participa da criação do Instituto de Psicologia de Paris e do Instituto Nacional de Orientação Profissional.

ciências do homem ao estudo de objetos exteriores passíveis de serem abordados conforme critérios de neutralidade e objetividade, tais como definidos nas ciências da natureza". Ainda que sua relação com o marxismo tenha sido estabelecida quando ainda frequentava a Escola Normal, será na década de 1930 que explicitará a concepção materialista dialética com a qual pretendia ultrapassar a dicotomia orgânico-social. Uma das palavras-chave para compreender a teoria que começara a tecer desde a publicação de A Criança Turbulenta é a contradição, advinda da diversidade do que observava. Admitir a contradição acabou por consistir na base de seu método, utilizado tanto na observação quanto na abordagem das questões com as quais se defrontava. Diz René Zazzo, a esse respeito, que a palavra "surge com excepcional frequência nos escritos de Wallon, quer se trate de analisar as contradições das teorias entre si, ou as oposições factícias ligadas aos nossos hábitos mentais e verbais, quer os conflitos respeitantes à natureza das coisas, e esclarecer estas diversas formas de contradições, umas através das outras". Nessa linha, fica evidenciada a relação que estabeleceu entre a patologia e o desenvolvimento infantil.

A PESQUISA: O MÉTODO DIALÉTICO COMO ATITUDE E A OBSERVAÇÃO COMO RECURSO

Tendo criado o Laboratório de Psicobiologia em 1925, Wallon proferiu uma série de conferências sobre a psicologia da criança na Sorbonne, até 1937. Em paralelo, mantinha-se alinhado aos intelectuais e políticos de esquerda, numa franca opção pelo marxismo como orientação político-filosófica. Essa opção permitiu-lhe posicionar-se

1930
Publica Principes de Psychologie Appliquée [Princípios de psicologia aplicada] (Paris: A. Colin, 1930), com análise de testes de aptidão e de inteligência utilizados para seleção profissional.

1931
Vai a Moscou, para um Congresso de Psicologia Aplicada.
Integra o Círculo da Rússia Nova, grupo de intelectuais cujo objetivo era aprofundar o estudo do materialismo dialético.

1934
Publica Les Origines du Caractère chez l'Enfant [As Origens do Caráter na Criança] (Paris: Boivin, 1934).

contra os regimes totalitários e, ao mesmo tempo, pensar a psicologia da criança, movido pela dialética, aqui entendida como a busca pelas contradições, ou seja, "em Wallon, a psicologia da criança é um estudo dialético do ser humano", afirma Zazzo. O posicionamento permitiu a ele assumir que "na realidade, jamais pude dissociar o biológico e o social, não porque os cria redutíveis um ao outro, mas porque me parecem, no homem, tão estreitamente complementares desde o nascimento que é impossível encarar a vida psíquica que não seja sob a forma das suas relações recíprocas". Por relações recíprocas entre o desenvolvimento biológico e o desenvolvimento social pode-se entender que um é condição do outro, ou seja, o componente social – a necessidade de outrem – inscreve-se no orgânico.

Em 1928, na Sociedade Francesa de Filosofia (SFF), assistiu à exposição sobre "Os Três Sistemas do Pensamento Infantil: Estudos sobre as Relações entre o Pensamento Racional e a Inteligência Motora", na qual Jean Piaget apresentou suas pesquisas. A apresentação deu início ao debate Wallon-Piaget, que acompanhou os dois pesquisadores por quase quarenta anos. Heloysa Dantas recuperou aspectos de semelhança e diferença entre as duas teorias, destacando que "Wallon pretende realizar uma psicogênese da pessoa, enquanto Piaget é explícito em seu propósito de traçar a biografia da inteligência". Partiam de posicionamentos filosóficos distintos, mas traziam a criança como objeto de pesquisa. Os dois utilizavam a análise genética para a compreensão dos processos psíquicos, mas Piaget, segundo René Zazzo, analisa a gênese da lógica, ao passo que Wallon analisa a gênese do homem em suas relações iniciais com outros homens". As questões sobre a origem do

1935
Visita o Brasil, em missão científica.

1935-1936
Organiza a publicação de À la Lumière du Marxisme [À luz do marxismo] (Paris: Ed. Soc. Int., 1935), conferências realizadas no Círculo Rússia Nova.

1937
Presidente da Sociedade Francesa de Pedagogia, até 1962.

1937-1941
Professor da cadeira Psicologia e Educação da Criança no Collège de France.

pensamento serão objeto de diversos artigos de um e de outro, numa intensa interlocução.

A década de 1930 foi marcante para Wallon. Do ponto de vista de sua simpatia ao marxismo, visitou Moscou, e ficou impressionado com a atitude de confiança que viu na população durante a visita. Na volta a Paris, entrou em contato com o Círculo da Rússia Nova, grupo de intelectuais cujo objetivo era aprofundar o estudo do materialismo dialético, a partir da familiarização com o marxismo, para compreender como seria possível utilizá-lo no campo da pesquisa científica. Após algumas reuniões fechadas e algumas conferências públicas, em 1935, Wallon organizou e prefaciou a publicação dos dois volumes de À Luz do Marxismo, conjunto de conferências realizadas no Círculo, livro no qual "definiu explicitamente em vários artigos o seu método como sendo o do materialismo dialético", diz Zazzo.

Do ponto de vista da coerência com seu posicionamento político, em suas próprias palavras, Wallon reconheceu, no artigo "Materialismo Dialético e Psicologia", que "o conhecimento do materialismo dialético permite descobrir ou explicar as formas variadas da causalidade: conflitos autógenos, resolução de contradições, ações recíprocas. Ele é tanto mais necessário quanto mais o objeto de estudo oferecer relações mais complexas, mais encadeadas, mais subtis, mais frágeis, mais variáveis entre fatores de aspectos heterogêneos, como é o caso da psicologia, a qual é a charneira [ligação] entre as ciências ditas da natureza e as ciências ditas do homem". Opção política e intelectual, o método dialético assumido por Wallon em sua psicologia, segundo Zazzo, se justifica, pois a "dialética é uma atitude permanente de inves-

1938
Publica La Vie Mentale (A vida mental) na Encyclopédie Française (Paris: Larousse, 1938).

1939-1945
Participação na Resistência Francesa.

1941
Publica L'Évolution Psychologique de l'Enfant [A Evolução Psicológica da Criança] (Paris: A. Colin, 1941).

1941-1944
É afastado das aulas no Collège de France, pelo governo de Vichy, durante a ocupação alemã.

tigação que toma em consideração o fato de que nenhum fenômeno pode ser compreendido se for encarado isoladamente, que a natureza está envolvida num processo de movimento e de mutações, que estas mutações não são simples repetição circular, mas evolução, não apenas quantitativas e graduais, mas qualitativas, que esta evolução tem por motor a ação recíproca das forças da natureza".

Como pesquisador, Wallon privilegiou a observação para estudar a criança, admitindo, em As Origens do Caráter da Criança, que "não há observação sem escolha nem sem uma relação, implícita ou não". Utilizou pesquisas realizadas por Stern (1871-1938), Preyer (1841-1897), Bühler (1879-1963) e Guillaume (1878-1972), particularmente o material descritivo fornecido pelas observações longitudinais que realizaram em seus estudos de psicologia da criança. Segundo Wallon, no mesmo livro, "a coleta de fatos não pode ser puramente mecânica; ela tem sempre uma significação mais ou menos explícita. Não existe o fato em si; um fato é sempre mais ou menos modelado por quem o constata. Por isso, ele pode aproximar-se mais de lugares comuns e rotinas, do que da individualização lúcida dos traços fornecidos pela experiência. Assim, as correlações indefinidas de fatos podem valer menos que um único fato significativo. Na realidade, um fato só tem interesse na medida em que é determinado, e só pode sê-lo através de suas relações com coisas que o ultrapassam, isto é, um conjunto ao qual possa ser incorporado de alguma forma. Mas ele próprio é um conjunto com sua fisionomia, sua definição, e liga-se pelos traços que o compõem a outros conjuntos mais elementares. Resulta disso não apenas que confrontar um fato com todos os sistemas aos quais pode

1942
Publica De l'Acte a la Pensée [Do ato ao pensamento] (Paris: Flammarion, 1942). Adere ao Partido Comunista clandestino.

1944
Secretário-geral da Educação Nacional. Integra Comissão para Reforma do Ensino Francês.

1944-1949
Retorna à cadeira Psicologia e Educação da Criança no Collège de France, como professor.

1945
Publica Les Origines de la Pensée chez l'Enfant [As Origens do Pensamento na Criança (Paris: PUF, 1945).

ser ligado é tratá-lo segundo sua natureza, mas que o melhor observador será aquele que souber utilizar o maior número de sistemas, tanto para individualizar quanto para explicá-lo". Dessa forma, destacou os fatos da realidade como elementos indispensáveis para a constituição da própria ciência.

A TEORIA: UMA PSICOLOGIA DA CRIANÇA CONCRETA, COMPLETA E CONTEXTUALIZADA

A gênese do psiquismo e a metodologia dialética estão presentes em As Origens do Caráter na Criança, publicado em 1934, livro no qual privilegiou a análise do comportamento emocional. Seu objeto é a constituição da subjetividade e seu foco, as crianças, do nascimento aos 3 anos de idade. A publicação reproduziu três estudos tratados em conferências ministradas na Sorbonne, entre 1929 e 1931, e apresentou a discussão psicogenética, a gênese dos processos psíquicos, visto que Wallon abandonara a patologia, insuficiente para a compreensão do psiquismo normal. Embora a ideia da reciprocidade entre o biológico e o social tivesse sido formulada por Baldwin (1861-1934) e por Janet (1859-1947), coube a Wallon aprofundá-la, buscando apresentar o percurso realizado pela criança até a consciência de si mesma, sua individualização. Alerta Zazzo que "a teoria da emoção conduz-nos [...] à noção de consciência, a qual é, sem dúvida, a pedra angular de todos os sistemas psicológicos, assim como de todas as ideologias".

É por meio da emoção que se estabelecem as relações entre o organismo e o meio. A teoria walloniana postula que o componente orgânico depende do meio social para ser atendido em suas necessidades

1946
Deputado por Paris na Assembleia Constituinte. Presidente da Comissão para Reforma do Ensino, sucedendo Paul Langevin. Presidente do Grupo Francês de Educação Nova, até 1962.

1947
Apresenta o Plano Langevin-Wallon, de reforma do ensino francês, à Assembleia Nacional (publicado em 1964).

1948
Cria a revista Enfance [Infância].

1949
Aposentadoria oficial.

de sobrevivência, numa clara influência darwinista. Diz Wallon, em "O Papel do Outro na Consciência do Eu", que, "incapaz de efetuar algo por si próprio, ele [o recém-nascido] é manipulado pelo 'outro' e é, nos movimentos desse 'outro', que suas primeiras atitudes tomarão forma". Assim, de acordo com ele, o gesto inicial, descarga motora, vai se transformando em expressão e estabelece comunicação com o meio social. Segundo Dantas, em "A Afetividade e a Construção do Sujeito na Psicogenética de Wallon", o choro do bebê atua de forma poderosa sobre a mãe e "é esta função biológica que dá origem a um dos traços característicos da expressão emocional: sua alta contagiosidade, seu poder epidêmico". A mobilização do outro acontece, então, por meio da comunicação emocional.

Para Wallon, a emoção é orgânica, visceral, regulada por estruturas nervosas na região subcortical do cérebro, que vão perdendo força ao longo da maturação cerebral, o que, em outras palavras, significa que é a primeira manifestação do psiquismo, que vai realizar "a transição entre o estado orgânico do ser e a sua etapa cognitiva, racional, que só pode ser atingida através da mediação cultural, isto é, social", observa Dantas. O amadurecimento do sistema nervoso, ou o fortalecimento da região cortical, da razão, porém, não significa que a emoção desapareça; estabelece-se entre emoção e razão uma relação dialética, de oposição e complementaridade. A emoção, que em sua origem é involuntária e incontrolável, com a maturação cortical tende a tornar-se controlada voluntariamente, embora possa predominar em estados emocionais intensos, quando se evidencia a perda da lucidez. A maturação cortical, entretanto, não é idêntica para to-

1950
Homenageado por meio das Jornadas Pedagógicas Henri Wallon.

1950-1952
Professor na Universidade de Cracóvia (Polônia).

1951
Presidente da Sociedade Médico-Psicológica. Publica Les Mechanismes de la Mémoire en Rapport avec ses Objects [Os mecanismos da memória em relação aos seus objetos] (Paris: PUF, 1951).

1953
Em março, perde a esposa, Germaine Wallon.
Sofre acidente que o deixa imobilizado.

das as crianças, nem mesmo para aquelas que vivem sob as mesmas condições sociais, em um mesmo meio; o surgimento de conflitos externos – com outras crianças, com adultos, nas relações sociais –, ou aqueles gerados pelos efeitos da maturação nervosa, determinará características do psiquismo de cada criança, afirmando seu "eu" nestes conflitos e oposições.

A despeito de uma compreensão do desenvolvimento como um processo linear, presente em trabalhos contemporâneos ao dele, Wallon admite a crise, o conflito, como propulsor do desenvolvimento. Segundo Zazzo, sua abordagem metodológica não busca "reduzir a diversidade dos indivíduos e das condutas em função de um princípio explicativo que poderia ser-lhes comum, mas, pelo contrário, começar por acentuar as diferenças", pois estas podem fornecer explicações. Dessa maneira, cada criança é tomada como ponto de partida para que seja possível compreender suas manifestações no conjunto de suas possibilidades.

Em 1937, Wallon iniciou seu trabalho como professor no Collège de France, na cadeira de Psicologia e Educação da Criança, graças à intervenção de Henri Piéron (1881-1964), professor de Psicologia Experimental na mesma instituição e seu antigo amigo. Tendo sido aprovado em 1935, foi somente dois anos depois que começou a ministrar cursos na instituição, o que fez até sua aposentadoria oficial, em 1949, com uma interrupção, entre 1941 e 1944, causada pela ocupação alemã. Em sua aula inaugural, afirmou que "entre a psicologia e a educação, as relações não são de uma ciência normativa e de uma ciência ou arte aplicada", ou, como ponderou posteriormente, em As Origens

1954
Presidente das Jornadas Internacionais de Psicologia da Criança. Presidente da Sociedade Francesa de Educação Nova.

1962
Morte, em Paris, em 1º de dezembro, quando escrevia o artigo "Mémoire et Raisonnement" (Enfance, vols. 4-5, 1962).

do Caráter na Criança, "foram os problemas pedagógicos que incitaram a procurar outros procedimentos para avaliar e utilizar as forças e as formas do desenvolvimento psíquico na criança". Explicitava, dessa maneira, que considerava a educação como fonte de questões para a psicologia, que, por sua vez, a partir de suas pesquisas, poderia oferecer elementos para mudanças nas práticas pedagógicas, o que indica uma relação de reciprocidade entre as duas áreas, ou seja, considerá-las complementares numa mesma atitude experimental, a partir de fatos observáveis. Dessa forma, segundo Maria José Werebe e Jacqueline Nadel, a escola deve servir "sobretudo como um lugar privilegiado para estudar a criança, com a participação dos educadores que dela se ocupam no cotidiano escolar. Wallon indicou bem que o conhecimento da criança exige a colaboração de todos os que – a qualquer título – estão em contato com ela".

Em 1937, tornou-se presidente da Sociedade Francesa de Pedagogia, entidade cujo objetivo era a troca de experiências entre os educadores, o que lhe permitiu o contato com os professores e os problemas escolares. No ano seguinte, convidado por Lucien Febvre (1878-1956), diretor geral do projeto, organizou o oitavo tomo da Enciclopédia Francesa, o volume A Vida Mental, no qual apresentou sua concepção de psicologia como ciência.

Seu crescente interesse pela educação está presente em sua publicação de 1941, A Evolução Psicológica da Criança, na qual apresentou o desenvolvimento infantil a partir das atividades da criança, incorporando diferentes artigos que escrevera até então. No texto, descreveu os grandes conjuntos funcionais, suas fases e seus tipos. Na conclusão, retomou a ideia de um desenvolvimento integrado, de uma criança completa e complexa, quando disse que "a psicogênese da criança mostra, através da complexidade dos fatores e funções, através da diversidade e da oposição das crises que a assinalam, uma espécie de unidade solidária, tanto em cada uma como em todas elas. É contra a natureza tratar a criança fragmentariamente. Em cada idade ela constitui um conjunto indissociável e original. [...] Feita de contrastes e conflitos, a sua unidade será por isso mais suscetível de desenvolvimentos e de novidade".

A Segunda Guerra Mundial foi um acontecimento marcante na vida e na obra de Wallon. Engajado na Resistência Francesa durante a ocupação alemã, publicou, em 1942, Do Ato ao Pensamento, livro no qual recupera os conjuntos de fatos da patologia, da neurologia, da psicologia animal e acrescenta os da antropologia para explicar a passagem da ação motora ao ato mental, ou, numa linguagem peculiar, os prelúdios psicomotores do pensamento. Tendo por subtítulo Ensaio de Psicologia Comparada, o texto busca, a partir de uma série de comparações entre atividades diversas, individuais e coletivas, determinar como nasce a ideia.

Utilizando a abordagem dialética, apresenta o antagonismo e a descontinuidade entre movimento e pensamento. Nesse sentido, a teoria indica uma ampliação do espaço motor por meio da constituição de um espaço mental, ou seja, num primeiro momento, o pensamento vai ser expresso pelo movimento e pela linguagem simultaneamente e, gradativamente, ao longo da infância, a motricidade se reduzirá aos movimentos vocais, e o pensamento será impulsionado pela fala. As atividades da criança, primeiramente voltadas para a sensibilidade interna (visceral e afetiva), que abrange o primeiro ano de vida, posteriormente, serão acrescentadas pela sensibilidade externa (elementos do mundo exterior), caracterizando, então, o aspecto cognitivo do desenvolvimento. Não se trata porém de um processo linear, no qual o aspecto afetivo cederá lugar ao cognitivo. A anterioridade indica conflito e oposição permanente entre eles. As condutas cognitivas surgem das afetivas; estas se subordinarão àquelas, alternando-se em fases centrípetas, voltadas para si mesmas, e centrífugas, de interesse pelo mundo humano ou pelo mundo físico. A elaboração do subjetivo se faz sobre o objetivo e vice-versa.

Em As Origens do Pensamento na Criança, livro publicado em 1945, a partir de seus cursos ministrados no Collège de France, Wallon busca apresentar o prelúdio da inteligência verbal ou discursiva na criança. Coloca-se no plano da descrição psicológica, investigando as características do pensamento pré-logico, a partir de conversas com crianças de 5 a 9 anos.

A RECIPROCIDADE ENTRE A PSICOLOGIA DA CRIANÇA E A EDUCAÇÃO

Se desde a criação de seu Laboratório de Psicobiologia da Criança havia estabelecido contato com professores e com escolas, foi no final da década de 1940, mais especificamente, depois da guerra, em 1946, que Wallon assumiu dois papéis relevantes em relação à educação: a presidência do Grupo Francês de Educação Nova, mantida até 1962, e a da Comissão para Reforma do Ensino.

Ainda que seu foco tenha sido a psicologia da criança, ele se dispôs a analisar as ideias advindas do Movimento da Escola Nova, visto que concordava com as críticas feitas ao ensino tradicional. No prefácio de A Evolução Psicológica da Criança afirma que "sem ser propriamente psicólogo, um educador filósofo como Dewey, preconizando o acordo entre o mais livre desenvolvimento de todas as energias em potência na criança e o meio, abriu caminho não somente a múltiplos ensaios práticos de educação como também a investigação sobre as necessidades da actividade na criança e a influência que ela sofre dos meios em que se encontra", manifestando-se positivamente ao Movimento. Contudo, reconhecia que este tinha limitado alcance social, principalmente porque não conseguira, segundo Maria Letícia Nascimento, "superar a contradição entre indivíduo e sociedade, ora privilegiando um, ora outro. Se os conflitos entre ambos são inevitáveis, pela ordem de seus interesses, e necessários, pois que se opõem, é na sua confluência que se coloca a prática educacional". Em outras palavras, somente a integração entre a formação da pessoa e sua inserção na coletividade poderia assegurar a realização da educação.

Não reconhecia, portanto, nas ideias de Montessori, de Decroly ou de Freinet, centradas do desenvolvimento individual, o caráter social da educação. Coerente com os princípios do materialismo dialético, destacou a oposição entre indivíduo e grupo, e os conflitos gerados por ela, como a base da prática educativa. Segundo Maria José Werebe, trata-se de "os dois polos entre os quais a educação sempre oscilou – a formação da pessoa e sua inserção na coletividade –, de maneira a assegurar sua plena realização".

Wallon respeitava, contudo, as contribuições advindas da pedagogia de seu tempo, notadamente o trabalho de Decroly (1871-1932), sobre o qual se manifestou, dizendo que "foi à luz da pedagogia que ele estudou o desenvolvimento psíquico, a 'psicogênese' da criança, e foi à luz da psicologia que constituiu seu sistema pedagógico. Os métodos ativos [...] devem muito a Decroly".

Admirava também a pedagogia de Makarenko (1888-1939), pedagogo soviético que organizou um "coletivo" no qual todos eram responsáveis e cada um tinha responsabilidades particulares, fundamentadas nas suas próprias condições de existência, conforme a experiência descrita em seu Poema Pedagógico.

Na Comissão de Reforma do Ensino Francês, encarregada de construir um plano de educação no pós-guerra, Wallon participou primeiramente, assim como Piéron, como vice-presidente. Convidado a assumir o projeto de reformulação do sistema educacional francês, após a morte de Paul Langevin, em 1946, Wallon pôde expressar sua opção por uma sociedade caracterizada pela democracia e pela justiça social. Para isso, o projeto previa transformações na estrutura e no funcionamento do sistema escolar, oferecendo também sugestões sobre métodos de ensino. O projeto foi aprovado em 1947 e encaminhado ao Ministério de Educação, onde posteriormente recebeu o nome de Plano Langevin-Wallon, mas nunca foi implantado em toda sua extensão.

O INTELECTUAL INCANSÁVEL: A CRIAÇÃO E DIREÇÃO DA REVISTA ENFANCE

A década de 1950 encontra Wallon afastado da cadeira Psicologia e Educação da Criança no Collège de France pela aposentadoria. Dois anos antes, em 1947, Wallon foi convidado a criar uma revista francesa de psicologia da criança, Enfance, cujo primeiro número foi publicado no início de 1948. No texto introdutório, afirmou que psicologia, pedagogia, neuropsiquiatria, sociologia formavam um conjunto no qual cada parte era indispensável às outras para abordar os diferentes assuntos, com referência constante à educação. Ao longo dos catorze anos nos quais dirigiu o periódico, publicou textos seus e de colaboradores, com o mesmo rigor com que produzia pesquisa. Escreveu prefácios e organizou números especiais representativos da diversidade de seus interesses por diferentes campos nos quais se realizavam as atividades da criança, tendo publicado significativo número de artigos sobre o meio escolar.

Em 1953, perdeu a esposa e, pouco depois, sofreu um acidente que o deixou praticamente imobilizado, embora tenha mantido sua atividade intelectual seja como diretor de Enfance seja por meio da participação nas Jornadas Pedagógicas e nas Jornadas Internacionais de Psicologia da Criança. Convidado como professor visitante na Universidade de Cracóvia, chegou a ministrar lá cinco conferências.

Sua vida se encerrou em 1962, mas sua obra permanece como um vigoroso desafio a todos aqueles que se dispõem a estudar a infância.

UM HUMANISTA ENGAJADO

Por Maria Letícia Barros Pedroso Nascimento

O materialismo dialético, princípio e método que privilegiou, permitiu que Wallon construísse uma psicologia da criança concreta, completa, complexa e contextualizada

Contemporâneo de Freud (1856-1939), Binet (1857-1911), Claparède (1873-1940), Piaget (1896-1980), Vigotski (1896-1934), Dewey (1859-1952), Maria Montessori (1870-1952), Decroly (1871-1932), Freinet (1896-1966), conviveu com os principais autores da psicologia e da educação de seu tempo. Sua psicologia é considerada complexa e de difícil compreensão. A polêmica com Piaget é tema de pesquisa até os dias atuais.

Claude Bernard (1813-1878)
Médico e fisiologista francês, conhecido por seu estudo dos sistemas orgânicos e pela criação da fisiologia experimental. Introduziu o método experimental na medicina.

Théodule Ribot (1839-1916)
Médico e psicólogo francês, fundador da psicologia científica francesa. Formado em Filosofia, foi o responsável pela introdução da psicologia experimental na França.

Pierre Janet (1859 -1947)
Médico e psicólogo francês reconhecido por desenvolver o tratamento clínico das doenças mentais em conexão com a psicologia acadêmica. Diretor do laboratório de psicologia patológica da Salpêtrière.

← Influenciou Wallon

→ Influenciados por Wallon

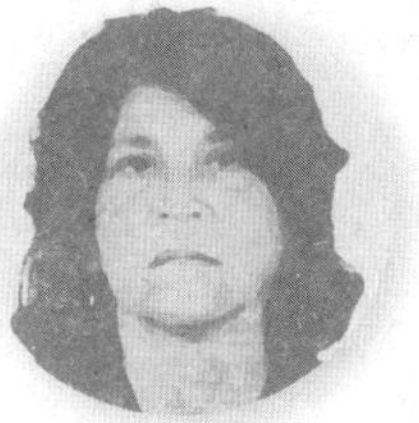

Heloysa Dantas (1945-)
Doutora em psicologia. Professora de graduação e pós-graduação na Faculdade de Educação da Universidade de São Paulo de 1971 a 1996. Foi assessora do MEC.

Jacqueline Nadel (1938-)
Doutora em desenvolvimento cognitivo, é diretora de pesquisa do Centro Nacional de Pesquisas Científicas da França (CNRS). Lidera pesquisa sobre desenvolvimento e psicopatologia. Editora da revista Enfance.

Émile Jalley (1935-)
Professor de psicologia clínica na Universidade de Paris Norte. Lecionou filosofia nas escolas secundárias por dez anos e há 35 anos é professor e pesquisador na Universidade de Nancy, Paris V e Paris XIII.

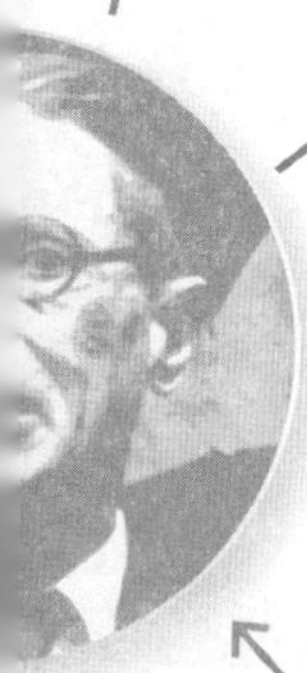

René Zazzo (1910-1995)
Discípulo de Wallon, psicólogo da criança, estudou o desenvolvimento infantil. Professor de Psicologia da Criança, sucedeu Wallon como diretor do Laboratório de Psicobiologia da Criança em 1950.

James Mark Baldwin (1861-1934)
Filósofo e psicólogo americano. Sua obra sobre o desenvolvimento mental de crianças incluiu, pela primeira vez em psicologia, as experiências com crianças. Relacionou a teoria da evolução com teorias de desenvolvimento.

Principais teses

COGNIÇÃO, CORPO E AFETO

por Laurinda Ramalho de Almeida

Wallon vê o homem por inteiro, em uma sociedade solidária e justa, com uma educação de qualidade para todos, que respeite o aluno e lhe permita o desenvolvimento pleno de suas potencialidades

Wallon, psicólogo da criança? Wallon, psicólogo da emoção? Wallon, idealizador do projeto de reforma do ensino francês após o fim da Segunda Guerra Mundial? A teoria walloniana tem sido focalizada, muitas vezes, de forma incompleta. Wallon, na verdade, é um psicólogo do desenvolvimento que elaborou uma teoria psicogenética procurando compreender o psiquismo humano em sua formação e transformações, e entender como o bebê humano se constitui no adulto de sua espécie. Por adotar uma psicologia genética, teria que começar, necessariamente, pelo estudo da criança, pois a gênese dos processos psíquicos aparece na infância; partindo desta, revelar, de etapa em etapa, a vida mental.

A psicologia da criança encontrava-se em um impasse, quando Wallon começou a publicar seus trabalhos, em 1925, e seu estudo representa um esforço para ultrapassar duas tradições em vigor, naquele momento: de um lado, a teoria do homúnculo, que via a criança como uma redução, como um homem em miniatura; de outro, na tradição vinda de Rousseau, a teoria das mentalidades distintas, que para acentuar a originalidade da criança criara uma ruptura entre esta e o adulto. Wallon vai mostrar que o estudo da criança é essencialmente o estudo das etapas que farão dela o adulto da sua espécie, e que cada etapa é, ao mesmo tempo, um momento de evolução mental e um tipo de comportamento. Nesse sentido, a infância é considerada sob outra perspectiva, com necessidades e características próprias cuja função principal é a de edificação do adulto. Note-se que a criança, na teoria walloniana, é o período que compreende do recém-nascido ao início da puberdade.

As Origens do Caráter na Criança (publicado como livro em 1934, mas resultante de cursos proferidos na Sorbonne entre 1929 e 1931) trata dos três primeiros anos do desenvolvimento, apresentando a teoria da emoção entendida como fenômeno simultaneamente biológico e social. As Origens do Pensamento na Criança (1945) analisa a evolução das condutas intelectuais de crianças de 5 anos e meio a 9 anos em suas relações com a linguagem (estuda o pensamento discursivo), dando uma descrição detalhada do pensamento infantil, em seu sincretismo inicial, indo para uma progressiva diferenciação. A Evolução Psicológica da Criança (1941) difere das duas anteriores, pois apresenta questões metodológicas (como estudar a criança), aborda as atividades predominantes na criança nas diferentes idades, analisa os conjuntos funcionais e as grandes questões da psicologia da criança, tais como: o brincar, a motricidade, o desenvolvimento da afetividade, a linguagem.

A teoria de desenvolvimento de Wallon, psicogenética, cujas teses estão em germe em sua publicação de 1925, A Criança Turbulenta, é uma teoria eminentemente integradora: os processos cognitivos, afetivos e motores estão entrelaçados. Imbricados uns nos outros, só podem ser estudados separadamente pela necessidade de descrição. Evidentemente sua proposta teórica oferece elementos sólidos para elucidar a função da emoção nos processos de desenvolvimento, e Wallon dedica considerável parte de seus estudos para compreender o papel da afetividade (emoções, sentimentos e paixão) na constituição do ser humano, e dá uma resposta lúcida para superar a dicotomia razão-emoção, vigente na época. Contrariando as posições teóricas sobre a emoção, que a viam como função perturbadora, manifestação desorganizada do corpo, ou como um processo organizado para captar energias, Wallon apresenta uma terceira posição, mostrando que a emoção no ser humano engloba as duas posições anteriores: é energética e catastrófica, mas é, também, e principalmente, fonte de sobrevivência. Tem ela a função de mobilizar o outro, e com componentes orgânicos acentuados, é essencial nessa mobilização. É instrumento oferecido pela espécie para suprir a inaptidão da criança no início da vida, e é determinante na evolução mental. Na forma como o adulto dispensa o cuidado para atender às necessidades da criança, ele expressa as representações de sua cultura, os valores e as possibilidades dos diferentes meios e grupos.

Assim, é pela emoção que o organismo se liga ao social. Em que pese o papel importante da emoção na constituição do indivíduo, ela está entrelaçada com os conjuntos motor e cognitivo. Wallon pode ser, pois, mais acertadamente, caracterizado como psicólogo da integração. Na expressão feliz de Heloysa Dantas, com um ambicioso projeto: a "psicogenética da pessoa inteira".

O método de estudo e trabalho pelo qual optou, desde sua primeira obra (A Criança Turbulenta) em oposição às teorias mecanicistas e idealistas da época, é o materialismo dialético, pois, segundo ele, é a única posição capaz de abarcar a diversidade e as contradições da realidade, bem como considerar numa mesma unidade a pessoa e seu meio, particularmente o social, em suas integrações recíprocas. Essa opção pelo materialismo dialético significa ainda lidar com o real sem com ele se conformar, ou seja, um compromisso com a plena humanização do indivíduo, o que implica tomar posições e realizar ações em relação à sociedade, à política, à educação; implica uma participação intensa nos movimentos sociais e educacionais de sua época. Pedro Dantas evoca a frase de Henri Piéron para caracterizar a atividade de Wallon: um homem que fez ação em face da Ciência, fez Ciência em face da ação, num ciclo profundamente humano; "em toda parte onde se exige luta e ação para a consecução de um futuro melhor e mais feliz, lá se encontra Wallon". Pedro Dantas, no Brasil, e René Zazzo, na França, apresentam com fatos, admiração e respeito, a rica trajetória de Wallon na Psicologia e na Educação.

Wallon elaborou um corpo teórico para entender – e promover – o pleno desenvolvimento do indivíduo numa sociedade mais justa e igualitária. Na educação, o projeto Langevin-Wallon é o registro mais concreto desse compromisso. Esse projeto, fruto do trabalho de uma Comissão inicialmente presidida por Langevin e, após sua morte, por Wallon, com o objetivo de uma reforma do sistema de ensino francês após a 2ª Guerra, mostra, nas palavras de Izabel Galvão, a articulação entre as dimensões sociopolíticas e psicológicas que devem fundamentar a educação escolar. Embora não tenha sido implantado, o projeto continua ponto de referência para se discutir uma ideia de educação escolar de qualidade.

Toda a contribuição teórica de Wallon está exposta em livros, centenas de artigos publicados em periódicos, centenas de conferências e aulas magistrais, palestras, muitas delas dirigidas a professores. Apropriar-se de suas ideias não é tarefa fácil, não só pelo número excessivo de publicações, mas também pela densidade de seus escritos, nos quais dialoga com as correntes filosóficas e com autores da Psicologia, com um raciocínio dialético, nem sempre absorvido pelos leitores acostumados a um pensamento dicotômico.

Sua contribuição teórica, consubstanciada numa teoria integradora de desenvolvimento, aliada à participação intensa que teve nos acontecimentos políticos e educacionais de sua época, com desprendimento, coragem e retórica brilhante fazem de Wallon – o médico, o psicólogo, o pesquisador, o pensador, o educador – uma bandeira. Bandeira que tremula a favor do desenvolvimento de uma ciência que vê o homem por inteiro, não fragmentado, de uma sociedade solidária e justa, de uma educação de qualidade para todos, que respeite o aluno e lhe permita o desenvimento pleno de suas potencialidades.

INTEGRAÇÃO ORGANISMO-MEIO

Como se dá o processo de desenvolvimento para transformar o recém-nascido humano no adulto de sua espécie? É no e pelo social. O homem é geneticamente social, afirma Wallon. O recém-nascido necessita do outro não só para a sobrevivência física, mas para a sobrevivência cultural. "Incapaz de realizar algo por si próprio, o recém-nascido é manipulado pelo outro e é, nos movimentos desse outro, que suas primeiras atitudes tomarão forma." O período inicial do psiquismo pode ser caracterizado como uma nebulosa, uma união global e indiscernível entre o sujeito e o ambiente. Ambiente no qual está o outro, que identificará no bebê suas necessidades e procurará meios para satisfazê-las. Os recursos de que a criança dispõe para expressar suas necessidades são inicialmente o grito, o choro e os movimentos descoordenados, decorrentes de sua sensibilidade proprioceptiva (referente aos músculos) e interoceptiva (referente às vísceras). Essa linguagem emocional (traduz emoções e leva o outro a responder a elas) tem no movimento seu recurso de visibilidade, o que levou René Zazzo, discípulo e colaborador de Wallon, a afirmar que a "motricidade é o tecido comum e original de onde procedem as diferentes realizações da vida psíquica".

A emoção expressa pelo movimento é o recurso do recém-nascido para sua primeira ligação com a cultura de seu tempo. Pela emoção o indivíduo pertence primeiro ao meio social, e depois a si próprio. Wallon, de forma cristalina, aponta que o processo de desenvolvimento vai da socialização para a individualização.

A consciência de si, que implica a diferenciação Eu-Outro, vai surgir mais tarde, marcada por identificações e oposições, e a elaboração do Eu e do outro por parte da consciência se faz simultaneamente. A relação Eu-Outro permeia todo o processo da constituição psíquica do indivíduo (no nascimento de forma sincrética, caminhando para uma progressiva diferenciação). Wallon traz uma importante contribuição à teorização do "problema do outro" na Psicologia. Zazzo aborda essa contribuição, apontando as diferentes concepções anunciadas por Wallon: os "outros" (das relações interpessoais), o "outro" (como conceito geral) e o socius (como outro íntimo). Socius, termo emprestado de Pierre Janet, não é uma imagem ou interiorização do outro. O socius ou outro íntimo tem em sua constituição elementos das relações com o outro, com os diferentes meios, com a cultura; é o parceiro constante do Eu. Pela vontade de dominação e de integridade completa do Eu, o socius é reduzido, apagado, inoperante. No entanto, nos momentos de indecisão, de tomadas de posição ele ganha expressão e se trava um diálogo entre o eu e o socius. É esse outro íntimo que serve de intermediário para os Outros reais.

A relação complementar e recíproca entre os fatores orgânicos e socioculturais está presente em todas as análises wallonianas. "A integração genético-social é resultado da oposição que obriga aquilo que existe a se modificar para continuar a existir", afirma Wallon.

O plano segundo o qual cada ser humano se desenvolve vai depender da disposição que tem no momento de sua primeira formação (determinação genotípica), mas a realização desse plano pode não ser total, pois as circunstâncias do meio podem modificá-lo. A criança pequena não tem noção desses fatores, nem de seu corpo, nem das condições sociais – daí Wallon utilizar os termos inconsciente biológico e inconsciente social para esses dois polos de desenvolvimento, no início da vida.

Porque a existência individual está mergulhada na existência sociocultural do seu tempo, o desenvolvimento é um processo não linear: comporta fluxos e refluxos para ajustar as possibilidades do indivíduo com as exigências do seu meio; é um processo em aberto: a cada nova exigência do meio, que também está sempre se modificando, novas possibilidades orgânicas podem ser ativadas, e outras reprimidas. O indivíduo desenvolve-se para responder às situações com reações cada vez mais específicas.

A teoria psicogenética de Wallon, nesse sentido, é uma teoria otimista: enquanto o indivíduo mantiver sua capacidade de ajustes a um meio saudável, estará aberto a mudanças, em todas as etapas. A passagem do tempo impõe limites, mas também possibilidades, algumas nunca imaginadas.

A formação médica de Wallon, aliada à sua disposição de pesquisador, permitiu-lhe esmiuçar e valorizar os componentes orgânicos, o que provocou a crítica de alguns contemporâneos de que era organicista. De outro lado, o seu constante alerta para o fato de que o estudo da criança exige o estudo do meio ou dos meios nos quais vive sua existência provocou a crítica de excessivo sociologismo. Wallon se defende dessas críticas afirmando que nunca pudera dissociar o biológico do social, não por julgá-los redutíveis um ao outro, mas porque lhe era impossível encarar a vida psíquica a não ser sob a forma das relações recíprocas do biológico e do social, ou seja, na integração organismo-meio. Daí sua análise sempre buscar a identificação precisa dos níveis de maturação e dos modos específicos da influência do meio.

Meio, entendido como conjunto mais ou menos durável das circunstâncias que envolvem as existências individuais, inclui condições físicas e sociais, é meio ambiente e meio instrumentos da cultura. Na espécie humana, o meio social se sobrepõe ao meio físico, e ganha importância em relação a ele. A constituição da criança ao nascer não será a única lei do seu destino posterior. Seus efeitos podem ser amplamente transformados pelas circunstâncias vividas nos diferentes meios e grupos oferecidos pela sociedade.

Uma característica do meio apontada por Wallon deve ser lembrada, principalmente por educadores: o meio onde a criança vive e aqueles com os quais sonha são o molde que deixa sua marca. Se o meio concreto marca, igualmente o faz o meio imaginado, representado, desejado, sonhado. Possivelmente é essa afirmação que faz Bachelard (conforme Calmels), afirmar que Wallon, "o mais prudente dos psicólogos", cobre toda a possibilidade psicológica, desde o pensamento que experimenta até o pensamento que sonha. Wallon também aponta que os meios dos quais depende a criança começam por dirigir suas escolhas e o hábito sempre precede a escolha. Mas que a escolha pode impor-se pela comparação de seus meios com outros.

Meios e grupos são noções conexas, porém distintas. Mas na dialética walloniana podem por vezes coincidir, como a família, que é um meio funcional, porque cria circunstâncias que duram longos períodos de tempo, mas também um grupo. O grupo tem objetivos determinados dos quais depende sua composição e divisão de tarefas que regula as relações entre seus membros; é indispensável para a aprendizagem social da criança. No grupo aprende a diferenciar novos tipos de relação, a tomar conhecimento de seus recursos e limitações, dos seus sentimentos, de sua individualidade, a ter um conhecimento objetivo de si mesma. O grupo coloca a criança entre duas exigências opostas e complementares: o desejo de pertença, identificando-se com os objetivos propostos, pelo coletivo, e o desejo de diferenciar-se, ocupando um lugar na estrutura do grupo: "é da natureza do grupo que essas duas tendências, individualismo e espírito coletivo, se confrontem", afirma Wallon. Coloca também a criança ante as duas orientações diferentes que pode ter o grupo: uma inclusiva, que reúne: "nós todos"; e outra restritiva, que exclui: "nós outros". É outro alerta para o adulto: atuar no sentido de que o princípio de solidariedade possa reger a vida dos grupos.

INTEGRAÇÃO AFETIVA, COGNITIVA E MOTORA

Como o psiquismo, que desde seu início é constituído pela junção genético-social, transforma-se constantemente? A teoria walloniana postula que o psiquismo é uma unidade que, em cada momento, resulta da integração dos conjuntos ou domínios funcionais: afetividade, conhecimento ou cognição, ato motor, pessoa. Alerta Wallon que é a necessidade da descrição que obriga a tratar separadamente os grandes conjuntos funcionais, pois eles estão entrelaçados, imbricados uns nos outros. Os conjuntos funcionais são constructos de que a teoria se vale para explicar o que é inseparável: a pessoa. Revelam-se inicialmente de forma sincrética, reagindo a estímulos internos e externos, de forma indiferenciada. Com o passar do tempo, e com as solicitações do meio, os conjuntos vão se diferenciando.

O conjunto afetividade oferece as funções responsáveis pelas emoções, pelos sentimentos e pela paixão. Afetividade refere-se à capacidade do ser humano de ser afetado pelo mundo interno e externo, por sensações ligadas a tonalidades agradáveis e desagradáveis.

A emoção, por sua expressão corporal, motora, visível, ativada pelo fisiológico, é a exteriorização da afetividade. A emoção aparece no recém-nascido na forma de espasmos, que são tanto contrações musculares e viscerais, como expressões de bem-estar ou mal-estar. Das oscilações musculares e viscerais vão se diferenciando as emoções: medo, alegria, raiva, ciúme, tristeza. A cada uma delas passa a corresponder um padrão postural. Pelo seu poder plástico, expressivo e contagioso, a emoção estabelece os primeiros laços com o mundo humano e, através dele, com o mundo físico. A emoção é determinante na evolução mental: a criança responde a estímulos musculares (sensibilidade proprioceptiva), viscerais (sensibilidade interoceptiva) e externos (sensibilidade exteroceptiva). Pela resposta do outro, passa a reproduzir os traços dos estímulos, e vai afinando suas trocas com o mundo. Wallon esclarece o antagonismo entre emoção e atividade intelectual (um antagonismo de bloqueio): quando há predomínio da emoção as imagens, as ideias, as representações ficam esmaecidas, e quando há predomínio do cognitivo, ficam mais claras.

O sentimento corresponde à expressão representacional da emoção. Não implica reações diretas e instantâneas como na emoção. Tende a reprimi-la, impondo controles para limitar sua potência (a potência da emoção garante a rapidez às respostas de fugir ou atacar, quando não há tempo para tomar decisões). Os sentimentos podem se expressar pela mímica e pela linguagem, que possibilitam cumplicidades com o outro. O adulto tem maiores recursos para a expressão representacional, pois reflete antes de agir, traduz intelectualmente seus motivos e circunstâncias.

O aparecimento da paixão é mais tardio na criança, não aparece antes do estágio do personalismo. Com ela surge a capacidade de tornar a emoção silenciosa, pelo autocontrole.

O conjunto motor, ou movimento corporal, oferece três formas de deslocamento: primeiro, os deslocamentos do corpo no tempo e no espaço, em função das leis da gravidade (movimento exógeno ou passivo); o segundo deslocamento (movimento autógeno ou ativo) é caracterizado pelos movimentos voluntários ou intencionais do corpo ou partes dele; o terceiro é o das reações posturais, que se caracterizam por mímicas e expressões corporais e faciais diante das diferentes situações que os humanos enfrentam. O ato motor possibilita a expressão da emoção, e é um recurso privilegiado para o desenvolvimento cognitivo: as percepções são retidas somente quando a criança é capaz de reproduzi-las por meio de gestos apropriados.

O conjunto cognitivo oferece as possibilidades para a aquisição, manutenção e transformação do conhecimento, por meio de imagens, noções, ideias e representações. É o conjunto que permite rever e reelaborar o passado, fixar e analisar o presente e projetar o futuro.

A pessoa, o quarto conjunto funcional, expressa a integração do afetivo-cognitivo-motor em suas inúmeras possibilidades.

A teoria walloniana postula que há constantemente um jogo de tensões entre os conjuntos funcionais que são postos em movimento pelos recursos, limites e exigências do meio social. A alteração de um dos conjuntos afeta os demais: transformações em um ressoam nos outros.

A observação das transformações evidencia que elas são reguladas por algumas leis: 1. do sincretismo para a diferenciação: todos os conjuntos se revelam inicialmente de forma sincrética, como uma nebulosa, sem distinção das relações que as unem; 2. da predominância dos conjuntos: em cada estágio de desenvolvimento, um dos conjuntos predomina, isto é, fica mais em evidência, embora os outros estejam sempre presentes; 3. da alternância de direções: em cada estágio de desenvolvimento há uma alternância de direções:

ora para dentro, para o conhecimento de si (direção centrípeta, anabólica, de acúmulo de energia); ora para fora, para o conhecimento do mundo exterior (direção centrífuga, catabólica, de dispêndio de energia).

AS ORIGENS DO PENSAMENTO NA CRIANÇA

Como se dá o desenvolvimento do pensamento na criança? É no livro As Origens do Pensamento (1945) que Wallon trata especificamente dessa questão.

Em especial, de um dos momentos da constituição da pessoa, que corresponde a uma direção centrífuga, objetiva, voltada para o conhecimento dos objetos que estão no seu meio. A criança já vivenciou a exploração motora; agora é a vez da exploração intelectual. Esse momento sucede e antecede a dois momentos inteiramente subjetivos, de orientação centrípeta. Vale lembrar que o sistema de estágios proposto por Wallon para analisar o processo de desenvolvimento, numa abordagem dialética, é entendido no sentido de que cada estágio é preparado pelas atividades do anterior, e prepara para a emergência do seguinte. Com a idade variam as relações da criança com o meio físico e social, e é a cultura desse meio que oferece o conteúdo para os estágios. Portanto, não é só a idade cronológica que determina a sucessão dos estágios. Com essa ressalva, a teoria apresenta os seguintes estágios: impulsivo-emocional (0 a 1 ano); sensório-motor (1 a 3 anos); personalismo (3 a 6 anos); categorial (6 a 11 anos); puberdade e adolescência (11 anos em diante).

É, então, sobre a fase que vem depois do personalismo, e chega até a puberdade (estágio categorial), que As Origens do Pensamento vai se deter. A análise refere-se ao pensamento discursivo, captado pela linguagem. Wallon dialoga com as crianças de 5 anos e meio a 9 anos, e a partir desse diálogo determina dois momentos; o pré-categorial ou pré-lógico e o categorial. A original descoberta que faz Wallon ao analisar o farto material dos diálogos com as crianças é que o pensamento tem uma estrutura binária, em sua fase mais primitiva. Esmiuçando exemplos, Wallon afirma que o pensamento infantil se faz basicamente por pares de ideias, uma puxando a outra: "a dualidade precedeu a unidade". Todo termo identificável pelo pensamento exige um termo complementar. Daí, a denominação de pensamento por pares ou duplas. Exemplo do diálogo com uma criança de 6 anos:

– O que é a chuva?
– A chuva é o vento.
– Então a chuva e o vento são a mesma coisa?
– Não.
– O que é a chuva?
– A chuva é quando troveja.
– O vento, o que é?
– É a chuva.
– Então, é a mesma coisa?
– Não. Não é a mesma coisa.
– O que é igual?
– É o vento.
– O que é o vento?
– É o céu.

Descobriu Wallon que o "vínculo da dupla pode ser de diferentes espécies: analogia, enganchamento fortuito que persevera, termos complementares, combinação circular, etc.". Uma dupla é uma estrutura elementar, fechada em si mesma, mas cada dupla demanda outras. A série desfaz a dupla por meio de um terceiro termo. Um exemplo, inspirado em depoimento de Esther Grossi: quando uma criança ouve a mãe chamar sua mãe de mãe, corrige: – Ela não é mãe, é avó! Ao que a mãe responde: – Ela é sua avó, mas é minha mãe. A série avó, mãe, filha provinha das duplas mãe da criança-criança e mãe da mãe-mãe da criança. As duplas foram rompidas pelo terceiro termo: mãe que é ao mesmo tempo mãe da criança e filha de outra mãe. No par, existem já, em germe, as duas funções essenciais do pensamento: identificação e diferenciação, porém misturados.

O pensamento sincrético do início do pensamento discursivo pré-categorial é decorrente de vários obstáculos que se apresentam para a criança, tais como experiência prévia, linguagem, fraco poder de delimitação entre temas simultâneos. Para vencer as contradições desse pensamento, a criança usa mecanismos, entre os quais fabulação, mitologia, invenções. Até que, ao chegar ao pensamento categorial, a criança dará conta de duas tarefas que se impõem ao conhecimento: definir e explicar.

Cabe aqui uma questão instigante, que Heloysa Dantas coloca no final do seu livro A Infância da Razão: a relação entre o pensamento sincrético, pré-lógico e o processo de criação. "Disciplinar inteiramente o pensamento, sejam quais forem os termos em que isso se exprima, pode corresponder a fechar os caminhos que permitem recombinações suscetíveis de conduzir o pensamento por caminhos inéditos. É aqui que o sincretismo, que guarda a possibilidade de tudo ligar a tudo, de forma anárquica, pode levar ao novo."

E o que Wallon nos apresenta sobre a evolução da Inteligência, que é a capacidade de articular pensamentos? Aponta ele dois níveis: 1. a inteligência prática, que se apoia nos elementos da situação; é a inteligência do período sensório-motor, que organiza os elementos concretos da situação para atingir fins úteis. 2. a inteligência discursiva, que se apoia em símbolos e signos, já no nível da representação, portanto. Esse poder de operar com puros significados possibilita escapar dos elementos concretos da situação e imaginar coisas e situações diferentes, quer no passado, quer no futuro.

PSICOLOGIA E EDUCAÇÃO

Wallon não elaborou um método pedagógico original, embora tenha sido professor e tenha participado ativamente do debate educacional de sua época. Ele via a escola não só como um meio privilegiado para o desenvolvimento da criança, mas também como um contexto privilegiado para investigação psicogenética. Em sua aula inaugural no Collège de France em 1937 justifica o nome da nova cadeira (da qual foi primeiro professor), Psicologia e Educação da Criança, título que exprime as duas facetas indissociáveis de sua obra: a psicologia e a educação, sem superioridade de uma sobre a outra, entendendo que entre a psicologia e a educação as relações não são de uma ciência normativa e de uma ciência ou arte aplicada. Ou seja, a psicologia e a pedagogia constituem dois momentos complementares de uma mesma atitude; psicologia e pedagogia servem de instrumento uma para a outra.

Toda sua obra está impregnada de elementos que permitem elaborar uma proposta de educação, o que levou Snyders a afirmar, ao homenageá-lo por ocasião do centenário do seu nascimento, no II

Congresso Internacional de Psicologia da Criança, realizado em Paris, em 1979, que comparado a Comenius, Rousseau e Makarenko, não estava seguro de encontrar em Wallon uma Pedagogia, mas o que gostaria de salientar é que "Wallon mostra que uma pedagogia progressiva pode existir, que nos garante sua existência e que nos explica em que circunstância e a que preço".

A "pedagogia progressista" a que se refere Snyders possivelmente era decorrente da apreciação que Wallon fazia do Movimento da Escola Nova. Wallon endossava as críticas ao ensino dogmático e autoritário da escola tradicional, e ao mesmo tempo argumentava sobre o equívoco da Escola Nova em não ter conseguido, como a escola tradicional, superar a dicotomia indivíduo-sociedade. Via a escola como "um campo privilegiado, porque se trata de obra mais fundamental na sociedade de nossos dias: a educação das crianças. Pela gravidade das responsabilidades que assume, pela complexidade dos interesses que representa [...]". Wallon sugeria, então, que a pedagogia fundamentasse as atividades na relação recíproca entre o homem e o seu meio social, dando ao aluno recursos para o desenvolvimento de todas as suas potencialidades, não para usufruí-las individualmente, mas para a transformação social, para a construção de uma sociedade mais justa e igualitária.

O Plano Langevin-Wallon é a sua obra voltada à educação mais conhecida, elaborado em seguida ao término da Segunda Guerra Mundial, e que pretendia uma reforma completa do sistema escolar francês. Baseado no princípio de justiça social, propunha a não discriminação de qualquer tipo: étnica, religiosa, social. Só aptidões individuais deveriam oferecer limites, e estas deveriam ser observadas por meio da orientação escolar e orientação profissional, e cultivadas pela escola (Wallon introduziu, nas escolas francesas, em 1944, a Orientação Escolar).

Para "formação do homem e do cidadão", a escola pública e única, no sentido de oferecer oportunidades para todos, deveria levar em conta que: "não se pode dissociar a educação da inteligência e do caráter. É a vida escolar completa que oferece os meios que formam a criança".

Outras sugestões do Plano, quanto a métodos, limites de tempo para as atividades respeitando as possibilidades e ritmos do aluno, levavam sempre em conta as relações da criança com seu meio.

Propõe, também, melhoria da situação dos professores, salarial e técnica, com acompanhamento dos inspetores para uma atuação mais condizente com as propostas do Plano: adequação do ensino às etapas do desenvolvimento, e para tanto, ciclos de ensino com estrutura diferenciada para atendê-las.

DESENVOLVIMENTO E APRENDIZAGEM NA ESCOLA

Como a escola, instituição social, histórica, contextualizada, pode contribuir para que o indivíduo desenvolva-se numa direção de acordo com os fins propostos pela escola e pela sociedade? Como a escola, enquanto espaço de constituição da pessoa, pode favorecer a construção de valores? Wallon dá uma contribuição importante para que se olhe tanto o professor quanto o aluno como um ser biológico, ao mesmo tempo, biológico-social-cultural que vai se humanizando e humanizando a realidade, que é constituído pela cultura, mas também a constitui. Dá também elementos para compreender o aluno em seu processo de desenvolvimento, um desenvolvimento que não é só cognitivo, mas afetivo e motor.

O processo de humanização faz-se nos diferentes meios e grupos nos quais transitam crianças e jovens. Nos grupos, o aluno terá a vivência de papéis diferenciados, aprenderá a assumir e a dividir responsabilidades, a respeitar regras, a administrar conflitos, a compreender a necessidade do vínculo e da ruptura, a conviver.

Nos grupos, quando cada um assume suas responsabilidades, ao mesmo tempo em que todos os membros do grupo cuidam uns dos outros, desenvolve-se a solidariedade. Insiste Wallon no desenvolvimento da solidariedade e não apenas da cooperação, porque a cooperação pode atentar só para o bem do próprio grupo. É a harmonia entre os objetivos individuais e os coletivos, superando o antagonismo entre indivíduo e sociedade, que deve ser preservada. A dialética indivíduo-sociedade é central nas propostas wallonianas.

Para atender ao princípio de solidariedade, e promover o desenvolvimento cognitivo-afetivo de seu aluno, a escola precisa respeitá-lo. Como? Aceitando-o no ponto em que está, o que significa compreendê-lo em sua etapa de formação e conhecer os diferentes meios e grupos sociais nos quais transita e se desenvolve; seguindo o ritmo de seu desenvolvimento; oferecendo novos meios e grupos para que ele possa exercitar suas possibilidades e desenvolver suas ações; reconhecendo que o processo da educação deve tender para a autonomia.

Para tanto, é necessário que o professor seja um observador constante de seu aluno, lembrando que como observador está em presença do real, de todo o real, sem outro instrumento a não ser a sagacidade de que dispõe. E lembrar que a observação não é um decalque da realidade, é apenas uma aproximação, porque o observador tem sempre um quadro referencial para sua observação. Portanto, tem que constantemente observar-se a si mesmo. Se o aluno precisa ser observado nas suas condições concretas de existência, o professor-observador precisa aceitar que ele também é historicamente constituído nas suas condições de existência das quais decorrem seus quadros de referência. Daí o cuidado de observar-se, e observar não apenas seus alunos, mas a situação total: professor-aluno-meio social.

Cabe ainda lembrar que a escola pensada por Wallon, como a de hoje, é uma instituição social que assume múltiplos papéis na continuidade da socialização dos alunos. A cultura da escola, tanto pela via dos conteúdos explícitos que veicula como pelo currículo oculto que corre paralelo ao explícito, impõe mecanismos sutis para incutir valores e modelar comportamentos. Compreender a criança como uma pessoa completa, integrada, contextualizada, é o caminho para que a escola seja promotora de inclusão, e não exclusão social.

Como fazê-lo? A teoria psicogenética walloniana oferece algumas pistas para o professor: 1. por ser a emoção contagiosa, conforme a sua intensidade, as reações do outro intensificam ou não os seus efeitos; lembrar que o clima emocional da sala de aula tanto pode favorecer como prejudicar a aprendizagem – as energias gastas com um clima conturbado pelas emoções deixam de ser aproveitadas para promover a aprendizagem; 2. o que se ganha com a afetividade repercute no cognitivo, e vice-versa; portanto, um é lastro para o outro; 3. do ponto de vista psicogenético, a criança atua de acordo com seu estágio de desenvolvimento; não exigir dela o que a evolução de seu pensamento não permite; 4. a criança se interessa por questões referentes a si própria ou aos acontecimentos que provocam sua atividade; propor tais questões, para as quais tenha os recursos do desenvolvimento, para prender sua atenção; 5. existe uma evolução tanto da inteligência como da afetividade. Na criança bem pequena, o canal exclusivo para as trocas afetivas é o corpo: o toque, a voz, o olhar do outro estimulam o bebê e repercutem no seu desenvolvimento de exploração e elaboração da realidade. Com o surgimento da função simbólica (capacidade de preservar os objetos ausentes por meio da representação), a afetividade passa a ter novos canais de expressão; surgem formas cognitivas de demonstrar afeição como o ajuste às possibilidades e ao ritmo do aluno, embora continuem igualmente importantes o olhar e a fala, sensíveis e encorajadores. Mais tarde, na puberdade e adolescência, o aluno demanda manifestações, ainda cognitivas, mas que respeitem sua individualidade, suas ideias, seus questionamentos.

Cumpre lembrar que Wallon propôs uma teoria de desenvolvimento, e não de ensino, portanto, o que foi feito foi efetuar uma inferência do que essa proposta pode oferecer à escola, partindo do pressuposto de que a escola faz diferença, porque é meio fundamental para o desenvolvimento. Lembrar ainda que, de acordo com os postulados da teoria, não é só a relação professor-aluno que está em jogo no processo ensino-aprendizagem: o que deve ser considerado, na ação do professor e em suas investigações sobre a própria prática, é o par professor-aluno e meio social.

E como fica a formação dos professores? Wallon argumenta que essa formação deve levar em conta: o conhecimento do conteúdo e de sua melhor forma de apresentação; o conhecimento das etapas de desenvolvimento e das diferenças individuais; a aquisição do sentido pedagógico, não por simples rotina, mas pela experiência, reduzindo esta a preceitos ou princípios.

Contribuições para a educação

ENTRE A PSICOLOGIA E A EDUCAÇÃO

por Leny Magalhães Mrech

Em um mundo onde os deslocamentos imaginários e simbólicos são cada vez maiores, a obra de Wallon é um facho de luz iluminando a escuridão diante do processo de construção da pessoa

Ao longo desta edição, vários artigos realçam aspectos relevantes a respeito do pensamento e obra de Henri Wallon. Neste texto abordarei alguns dos pontos que, mais detidamente, se referem ao processo de construção da pessoa em Wallon e ao impacto deste conceito na educação.

O PROCESSO DE CONSTRUÇÃO DA PESSOA EM WALLON

Em Psicologia e Educação na Infância, Wallon afirma que existem quatro domínios funcionais, a saber: a afetividade, o ato motor, a inteligência e a pessoa. O termo pessoa – persona – encontra-se estreitamente vinculado ao conceito de personalidade, cujo termo é aqui considerado no sentido de ser total, físico-psíquico, e como tal, pode se manifestar no conjunto do seu pensamento.

Além de ser um conceito fundamental para pensar as relações que ocorrem nas escolas, é uma proposta que institui um olhar multidimensional que captura a própria escola e seus participantes através de uma concepção dinâmica e dialética em um constante processo de atualização.

Nesse sentido, Wallon inovou na maneira de pensar a psicologia e o próprio processo de construção da pessoa. Uma perspectiva que modificou também a própria maneira de fazer educação.

Para Wallon a pessoa se constrói ao longo de um processo. Ele o nomeava de construção da pessoa. Um conceito estratégico ao longo da sua obra.

Alice Beatriz Bastos, em A Construção da Pessoa em Wallon e a Constituição do Sujeito em Lacan, estabelece a distinção entre o conceito de construção da pessoa para Wallon e constituição do sujeito em Lacan: "Utilizo os termos construção da pessoa na psicogênese walloniana e constituição do sujeito na teoria lacaniana. A palavra construção relaciona-se a um processo mais gradual, semelhante à edificação e ao modo como a personalidade se prolonga no tempo. Já a palavra constituição diz respeito a um momento mais de ruptura, no qual o sujeito se constitui e marca a sua divisão".

O termo construção da pessoa, para Wallon, refere-se a um processo gradativo e sequenciado, implicando a estruturação de fases e estágios, em que a própria noção de desenvolvimento ocupa um lugar estratégico. Já o termo constituição do sujeito remete a um conceito novo na abordagem lacaniana: o de estrutura. Forjado para a psicanálise de orientação freudiana e lacaniana, ele aparece como uma tentativa de romper com o conceito de desenvolvimento tal como ele tem sido tradicionalmente proposto pela psicologia.

A constituição do sujeito, para Lacan, diz respeito à criação de uma estrutura de funcionamento para o sujeito, o que ocorre de maneira abrupta e sob a forma de ruptura. Para ele, o sujeito se constitui uma única vez; enquanto, para Wallon, a pessoa vai se construindo aos poucos.

UM CONCEITO INOVADOR DE DESENVOLVIMENTO

O conceito de construção da pessoa em Wallon encontra-se atrelado às mudanças drásticas na forma de considerar o próprio processo de desenvolvimento. O autor partiu do referencial marxista. Através dele procurou dinamizar as concepções psicológicas desenvolvimentistas da sua época. Podendo-se mesmo dizer que houve um antes e um depois de Wallon na Psicologia, que nunca mais as concepções desenvolvimentistas foram vistas da mesma forma.

Anteriormente havia uma impregnação das ideias evolucionistas de Darwin em relação à Psicologia. O processo de desenvolvimento era visto como uma sequência evolucionista ascendente. E Wallon introduziu uma mudança radical nessa concepção, como afirma Alberto Merani em Psicologia e Pedagogia: "A primeira coisa que ressalta no pensamento infantil, dir-nos-á Wallon, é a descontinuidade. A criança mostra na sua conduta prática ou intelectual perplexidade, indecisões que pareceriam revelar conflitos em potência: o desenvolvimento do pensamento da criança é descontínuo, assinalado por 'crises', 'conflitos', que Wallon compara com mutações biológicas, saltos numa palavra, e que provocam reestruturações (não evoluções) do comportamento. Desta forma, para Wallon, o desenvolvimento da criança é dialético".

Para a educação esta concepção de desenvolvimento possibilita conceber de forma dinâmica e multifacetada o desenvolvimento do aluno. Sem falar que esse conceito de desenvolvimento apresenta um entrecruzamento contínuo entre o biológico e o social. É uma proposta dialética que não segue um modelo linear de desenvolvimento cujas fases e etapas terão sempre o mesmo padrão. Para Wallon o processo de desenvolvimento da pessoa diz respeito ao vínculo da criança e sua ambiência (meio) que pode apresentar retrocessos, paralisações, acelerações, saltos.

Com isso, o processo de construção da pessoa pode assumir múltiplas dimensões, com atualizações contínuas em todos os domínios funcionais, a saber: a afetividade, a motricidade, a inteligência e a própria pessoa.

Além disso, Wallon não parte de uma concepção harmônica e prévia do processo de desenvolvimento, pois identifica que há ali uma vertente de conflito que ocorre na interação da pessoa com o mundo. Para ele, o conflito é o maior agente das mudanças em todos os domínios funcionais.

Trata-se de uma concepção complexa de desenvolvimento em que Wallon captura o vivo da pessoa, observando-a em um constante ir e vir entre o mundo interior e o mundo exterior, entre o Eu e o outro.

A AFETIVIDADE, A MOTRICIDADE E A CONSTRUÇÃO DA INTELIGÊNCIA

Outro domínio que, para Wallon, ocupa um lugar estratégico, além da pessoa, é o da afetividade. Ela se junta aos demais domínios funcionais: à motricidade e à inteligência. Para ele, todos eles têm uma estreita vinculação entre si e que são construídos gradativamente.

De acordo com Wallon, no início, o bebê encontra-se em posição de indiferenciação frente ao mundo. Ele se confunde com ele, não havendo separação entre ele e o mundo, ele e as demais pessoas.

Contudo, o bebê começa, aos poucos, a estabelecer um processo de diferenciação, passando a identificar melhor o que ocorre com ele.

Do ponto de vista da afetividade, a princípio, a criança só percebe suas emoções básicas: de prazer (emoções de alegria, por exemplo) e desprazer (tristeza, raiva etc.).

A criança utiliza o grito como uma de suas primeiras tentativas de contato com os demais. Segundo Wallon, "O grito é a primeira manifestação de vida do recém-nascido. [...] o grito constitui o prelúdio à palavra. É constrangendo as paredes das cavidades respiratórias sobre o ar aspirado, escalonando-se do diafragma aos lábios, que se produz o grito. E ao modelá-lo com uma extrema diversidade entre elas preparam a linguagem dos sons".

O grito pode revelar tanto as manifestações de prazer quanto de desprazer. A alegria extrema ou o medo irracional. Para Wallon, é por meio dele que o bebê aprende a identificar as suas emoções. O que tem uma estreita relação com a maneira como a criança é acolhida em sua família.

Quando a criança chega à escola, ela já carrega, em seu repertório, o que foi vivido no contexto familiar. Na tentativa de antecipar as ações das crianças, muitos professores tendem a atribuir a ela características que, de fato, ela ainda não tem. Por exemplo, é comum o professor dizer: "— Ela faz isso para chamar a atenção". Dependendo do processo em que a criança se encontra, sequer ela tem ideia do que está fazendo, pensando ou sentindo. Por isso, Wallon revela que é fundamental que o professor perceba, de maneira ampla e profunda, o que ocorre nos domínios funcionais: a afetividade, a motricidade, a inteligência e a pessoa. Eles passam por um direcionamento que vai da indiferenciação para a diferenciação. De uma mescla da criança com o mundo e com as demais pessoas (pensamento sincrético) para uma tentativa constante de se separar delas e instituir sua própria maneira de pensar, de sentir, de agir.

É preciso acrescentar, contudo, que essa separação nunca é completa e definitiva, pois a pessoa continua se transmutando e modificando durante toda a vida.

Em relação à afetividade na Psicologia, ao darem destaque ao próprio papel das emoções no processo de construção da pessoa, as contribuições de Wallon tiveram um caráter pioneiro. Eis o que ele diz sobre isso em As Origens do Caráter na Criança: "Ou a emoção é, em essência, uma perturbação, uma degradação da atividade e, nesse caso, o lugar por ela ocupado no plano das reações biológicas é o da doença [...]; ou então possui a emoção a sua razão de ser".

Ele foi o autor, fora da psicanálise, até aquela época, que constatou a importância estratégica que a afetividade ocupa na vida das pessoas. Ele identificou que, para muitos, a afetividade era vista como uma simples perturbação, como uma forma degradada de atuação. O parâmetro que havia nesse tipo de proposição da época dizia respeito à influência do pensamento filosófico, que costumava privilegiar a razão (a inteligência) em relação aos demais domínios.

Para Wallon a afetividade ocupa um lugar estratégico. Ela diz respeito aos resquícios dos comportamentos anteriores. Há uma interação bastante estreita, segundo ele, entre a afetividade e a motricidade. Isto porque os comportamentos iniciais da criança estão ligados fundamentalmente ao corpo.

Na concepção walloniana o bebê começa o seu conhecimento do mundo através das repetições contínuas de movimentos, que são realizados sem que a criança saiba muito bem o que eles significam. Por exemplo, o bebê costuma fazer certos movimentos que lembram o pedalar para o adulto. Mas não têm, segundo Wallon, relação alguma com o pedalar propriamente dito. Eles dizem respeito à liberação de um estado crescente de tensão em que o bebê se encontra.

Para Wallon, o papel da motricidade é de propiciar descargas de tensão. Quando o sujeito não se encontra em condições de realizar um determinado movimento, a sua afetividade cresce e as emoções aparecem.

Uma percepção mais estruturada, que abarque tanto a afetividade quanto a motricidade, só surge a partir do momento em que a criança passa a utilizar a sua inteligência. Ela é produto de um longo processo de construção.

Pode-se perceber a dificuldade e delicadeza da estruturação desses processos quando lidamos com a construção das imagens na criança. Por exemplo, a criança desenha sem ter noção daquilo que faz, sem perceber se o que desenha tem ou não uma conexão entre o objeto imaginado e o objeto real. É o período que Wallon nomeia de realismo intelectual: "A criança desenha objetos não como deveria ver, mas como os conhece. De uma casa, a criança alinhará sobre o mesmo plano dois ou três dos seus lados, ao passo que estes necessariamente se encobrem; ou então ela representa aquilo que a casa contém, como se as paredes fossem transparentes. Muitas vezes, aliás, ela se limita a justapor os elementos do objeto, à medida que ela os lembra, ora no interior, ora mesmo no exterior do seu contorno; por exemplo, lado a lado num mesmo rosto um olho de perfil e um olho de frente, ou então a corrente de uma bicicleta ora à direita, ora à esquerda, ora embaixo das duas rodas", observa em Do Ato ao Pensamento.

O que singulariza este momento é que há, para a criança, uma descontinuidade entre as diferentes imagens de uma mesma realidade. "Estas são, ao mesmo tempo, mais múltiplas e estáticas. A identificação se faz por blocos isolados, sem capacidade de transformar as imagens umas nas outras e de reduzi-las entre si", escreve ele também em Do Ato ao Pensamento.

Outra etapa se inicia, segundo Wallon, quando se passa para o realismo visual. Este, "pelo contrário, consiste em representar a coisa tal como as leis da perspectiva podem oferecer ao olhar".

O ESTÁGIO DO ESPELHO EM WALLON

Wallon não ficou apenas na diferenciação entre o realismo intelectual e o realismo real. Ele foi também um dos autores da Psicologia que se interessou pela maneira como a pessoa estrutura a imagem do seu corpo próprio. Um processo que ele nomeou de estágio do espelho.

Para ele esse estágio é o momento em que a criança passa a reconhecer sua imagem do espelho: "A maneira de reagir da criança, ao ver sua imagem refletida no espelho, constitui a contraprova a indicar, com perfeita nitidez, os graus por que ela passa antes de chegar a reduzir, numa intuição de conjunto, todos os elementos relacionados com sua personalidade física. [...] Trata-se de saber como a criança se torna capacitada a reconhecer como seu o aspecto exteroceptivo, traduzido pelo espelho da maneira mais completa e evidente. O problema comporta, aparentemente, dois tempos muito simples: perceber a imagem e relacioná-la a si própria", diz ele em As Origens do Caráter na Criança.

Trata-se também da vivência do pensamento sincrético. Esse diz respeito a um processo em que a pessoa e o mundo se confundem, não havendo separação entre o Eu/mundo, o Eu/outro. Wallon revela que o sujeito se encontra ainda indiferenciado em relação ao outro e ao mundo. E que, apenas gradativamente, ele consegue estabelecer uma relativa diferenciação do mundo, do outro.

Para ele, é preciso construir uma noção de corpo próprio, para que ela tenha uma ideia gestáltica de si mesma. É isso que lhe permite conceber-se, de alguma forma, separado do outro, do mundo.

É importante assinalar que é apenas a partir do estágio do espelho, que a criança adquire uma certa consciência de quem ela é. Uma consciência que nunca é total, mas sempre oscilante, uma vez que ela continua se confundindo com o outro com o mundo.

Para que se possa entender melhor o estágio do espelho, iremos, a seguir, discriminar algumas de suas etapas. Destacando que elas podem variar de criança para criança.

Até o terceiro mês, ela permanece indiferente à percepção das imagens no espelho. Ou seja, ela se encontra em uma posição em que há uma indiferenciação em relação ao outro, ao mundo externo.

É apenas, no decurso do quarto mês, que a criança, ao ver a sua imagem refletida no espelho, procura capturá-la, tentando apreender o que está ali. Antes disso, a criança costuma se recusar a ver a sua imagem no espelho.

No sexto mês, a criança passa a se voltar para a imagem que vê frente ao espelho, na tentativa de identificar quem é aquela com a qual interage. Até aquele momento a criança ainda não se dá conta de que aquela que aparece no espelho é ela mesma.

Para Wallon, até o sétimo mês, ela ainda concebe a imagem que vê no espelho como se fosse a de outra criança. Ela costuma inclusive ir buscá-la atrás do espelho. É o momento em que ela atua entificando a imagem, tornando-a um outro ser. Wallon, em As Origens do Caráter na Criança, revela a dificuldade que é, para a criança, fazer coincidir a imagem no espelho com a imagem no espaço: "O que falta é a capacidade de elevar a representação das coisas a um plano superior, onde sua existência já não estaria substancialmente ligada à das imagens encontradas no espaço sensório-motor, mas resultaria da ordem a ser estabelecida entre essas imagens em torno de seu centro ideal".

Outro momento estratégico ocorre, no estágio do espelho, quando a criança dá um passo a mais e constata que a imagem do espelho não é ela. Ou seja, que ela se encontra em frente ao espelho e não na imagem do espelho, propiciando uma separação entre ela e a imagem que aparece no espelho. "Necessidade dupla: admissão de imagens com aparência de realidade; afirmação das imagens que se furtam à percepção. O dilema levantado se coloca nestas proposições: imagens sensíveis porém não reais; imagens reais porém subtraídas do conhecimento sensorial. [...] É o prelúdio da atividade simbólica, segundo a qual o espírito consegue transmutar os dados da sensibilidade em universo. [...] A imagem no espelho inexiste por si mesma; é um sistema de referências, apto a orientar os gestos para particularidades do próprio corpo das quais fornece indicações. Ao se esvaziar de existência torna-se puramente simbólica. Assim vem a ser pelo fato de agora poder ser considerada como exterior ao sistema de imagens com o qual a criança identifica seu corpo e seu eu".

É o momento em que a criança rompe com o fascínio da imagem, aprendendo a se afastar dela, visando construir uma passagem do mundo imaginário para o mundo simbólico. Nesse caso, pode-se dizer que, se por um lado ela toma a imagem como um dado referencial, paralelamente, passa a desconfiar dela, percebendo que é preciso ir além da própria imagem.

É interessante que, com isso, a criança passa a se ver em dois lugares. Ela é sujeito e objeto do mesmo processo. O que Wallon denomina de transitivismo, possibilitando a vivência de situações bastante peculiares, tais como aquelas em que a criança bate em um colega e, ao mesmo tempo, sente os efeitos do ato que realizou. Ela é sujeito e objeto da mesma ação.

Para Wallon, trata-se de um momento em que a criança oscila entre o Eu e o outro. Um produto gerado pelo estágio do espelho, em que a criança pode se ver tanto do lado do Eu quanto do lado do outro. Mas, ele alerta, este também é o momento em que a criança pode se separar temporariamente do outro. Um processo que, como dissemos anteriormente, não se completa nunca, uma vez que o sujeito continua a se confundir com o outro durante toda a sua vida. Isto porque os processos de indiferenciação – em que a pessoa se mescla com o outro (sincretismo) – e de diferenciação – em que a pessoa se separa do outro – não cessam. Ambos são sempre temporários em todos os domínios funcionais.

A CONSTRUÇÃO DA INTELIGÊNCIA E OS SEUS EFEITOS PARA A EDUCAÇÃO

De uma maneira ainda mais efetiva, os domínios da motricidade, da afetividade e da pessoa podem ser observados de maneira bastante estratégica na construção da inteligência na criança.

Para Wallon a criança começa através da inteligência prática. No início, ela surge pela via do movimento e da afetividade. Por exemplo, a criança se toma como objeto de seu próprio contentamento ao realizar alguma tarefa. Ela pede que o outro a reconheça. Ela quer que o adulto a observe da mesma maneira como ela se observa.

Mais tarde ela passa da inteligência prática para a inteligência especulativa ou discursiva, da inteligência prática para a inteligência simbólica, a partir da estruturação de certas etapas.

Inicialmente, do ponto de vista da construção de seu pensamento, a criança se confunde com os adultos, em um processo de indiferenciação. Ela segue o que eles pedem, sem questionar. Ela se utiliza da imitação dos adultos como forma de conhecimento. Porém, aos poucos, na etapa do personalismo, que ocorre em média entre 3 e 6 anos, ela passa a agir de outra maneira. É o momento em que pais e professores constatam que a criança tem dificuldade de obedecer, ela quer fazer sempre outra coisa distinta daquela que os adultos propõem: "Por vezes, trata-se de oposição bruta. Ela reflete, como no espelho, a vontade que o adulto tem de obter satisfação. Em contrapartida, a criança desenvolve uma vontade igual de recusar-lhe aquela", escreve Wallon em As Origens do Pensamento na Criança.

É fundamental que o adulto não entenda esse processo sob a ótica da indisciplina. Ali há uma pessoa se construindo. Uma pessoa querendo estruturar o seu pensamento de maneira diferente em relação aos demais. A imposição autoritária de pais e professores pode quebrar esse processo na criança ou atrasá-lo em seu processo de desenvolvimento.

Wallon revela que as reações de oposição ocorrem nas situações em que a criança se sente invadida pela presença do outro. A partir daí, ela passa a utilizar respostas alternativas aos comandos dos adultos. Ela atrasa, não faz, esquece. Há também outro fator interferindo no processo. Ele afirma, no mesmo livro, que há uma inércia intelectual que aparece na construção do pensamento da criança: "Em suas primeiras manifestações, o pensamento da criança apresenta uma inércia que a impede de seguir a cadência do adulto e que é uma causa de contínua discordância em suas conversas. Entre os efeitos dessa inércia, podemos citar o atraso de suas respostas".

A criança tenta manter a sua cadência de pensamento, mas tem dificuldade de mudá-lo e acompanhar o que os adultos estão pensando. A descontinuidade e a persistência são os outros nomes para a inércia do pensamento na criança. Ou seja, ela introduz outra coisa à proposta feita pelo adulto, ou persiste reagindo àquilo que ele estava fazendo.

Na escola este aspecto precisa ser olhado com muito cuidado pelos professores. Muitos costumam considerar estas ações como simples teimosia da criança. O que eles não percebem é que há ali uma criança em estruturação. É o momento em que a criança passa a tecer o seu pensamento. A hora em que ela começa a refletir a respeito das suas diferenças em relação ao outro e ao mundo.

Wallon analisa detidamente esse processo, em As Origens do Pensamento na Criança. Ali ele estabeleceu uma coleta de dados a partir das falas das crianças e sua interação com um interlocutor (pesquisador) que propõe perguntas estratégicas que devem ser respondidas pelas crianças.

Para fins de ilustração, neste artigo, apresentarei apenas alguns exemplos desse processo. Mencionarei aqueles que considero mais importantes para os professores e os contextos educativos. No entanto, destaco que não farei um levantamento exaustivo, uma vez que este fugiria às finalidades deste trabalho, que se apresenta como meramente introdutório.

Primeiramente, o autor aponta o caráter elíptico do pensamento da criança em relação à linguagem: "A linguagem permanece, por muito tempo, elíptica, mesmo quando tende a substituir, como descrição, o real ausente, ou quando procura enunciar os objetos ou os termos de uma ação eventual, ou quando tenta a análise dos acontecimentos e das coisas".

Para ele, o que caracteriza o pensamento inicial da criança é que ele é fugidio. As relações entre as coisas e os acontecimentos ainda se apresentam mal elucidadas. A criança não sabe como fazer distinções entre vários conteúdos. Um dos únicos mecanismos que ela conhece é a exclusão. Ela exclui, então, circunstâncias, imagens etc. O que acaba levando a um obscurecimento do sentido do seu pensamento. Este aparece, muitas vezes, de forma alterada e distorcida.

Um dos exemplos desse tipo de pensamento, apresentado por Wallon em As Origens do Pensamento na Criança, é o pensamento por ilhotas. São os casos em que os pensamentos surgem de forma fragmentada ou isolada, propiciando que uma mesma palavra possa ter significações diversas ou até mesmo não haver nenhum contato entre elas. No exemplo abaixo, peço que o leitor observe atentamente como o pesquisador (interlocutor), em cada pergunta, questiona a criança, tentando extrair respostas mais completas e estruturadas.

Exemplo 1

"O que é a terra? – É preto. – O que é? É com húmus. – Faz tempo que é assim? – Faz, sim, senhor. – Como a terra foi feita? – Porque tem o céu. – Foi o céu que fez a terra? – Porque tem o vento. – O vento fez o céu e a terra? – A terra é feita com o húmus".

Pode-se identificar aqui a maneira como a criança isola ainda cada um dos itens da sua fala. As palavras não interagem umas com as outras. Elas permanecem isoladas, como se fossem pequenas ilhas de pensamento fechadas em si mesmas.

O que leva Wallon a dizer que, no início, o pensamento da criança é desorganizado. Inclusive destaca que, se as crianças forem deixadas à própria sorte, irão apresentar uma sequência "amorfa de momentos psíquicos, substituindo-se uns aos outros ou aglutinando-se, sem um verdadeiro princípio de unidade. Na realidade, o pensamento existe apenas pelas estruturas que introduz nas coisas. Inicialmente, há estruturas muito elementares. O que é possível constatar, desde o início, é a existência de elementos que estão sempre aos pares. O elemento de pensamento é essa estrutura binária, não os elementos que a constituem. A dualidade precedeu a unidade. O par é anterior ao elemento isolado".

Para Wallon esse processo muda apenas quando se estabelecem as estruturas elementares de pensamento. São elas que possibilitam a constituição de pares, que permitem que as crianças possam se deslocar de uma ideia para outra, na tentativa de estabelecer algum sentido entre elas. Um outro exemplo que Wallon propõe no livro As Origens do Pensamento na Criança:

Exemplo 2

"O que é a chuva? A chuva é o vento. – Então a chuva e o vento são iguais? – Não. – O que é chuva? – A chuva é quando tem trovão. – O que é o vento? – É a chuva. – Então é a mesma coisa? – Não, não é igual. – O que é que não é igual? – É o vento. O que é o vento? – É o céu".

Nesse parágrafo pode-se perceber de que maneira a criança se desloca entre dois conceitos: chuva e vento. O que é distinto da perspectiva do exemplo anterior em que o seu pensamento não conseguia se remeter a nada. Observem também o papel do interlocutor que aprofunda certos conceitos, tentando fazer com que a criança discorra mais profundamente a respeito de cada um deles.

Para o professor, ambos os casos podem soar como se a criança não soubesse o que está pensando; quando, de fato, o que se observa diz respeito à construção das próprias bases do seu pensamento. Um direcionamento em que ela vai dos elementos isolados para os pares.

Mas, afinal, o que é o pensamento para a criança? Para Wallon, ele ocorre somente quando surgem as estruturas que procuram organizar às coisas. Através delas, a criança pode estabelecer classes.

Wallon destaca ainda que a importância da interação da criança com o outro, nesses casos, é fundamental. "Em conversas como as de onde são extraídos os exemplos desse estudo, as relações da criança com o interlocutor podem tornar-se tão preponderantes que o objeto delas se encontra, às vezes, como que suprimido. Em todo caso, é impossível considerar uma resposta da criança como o resultado exclusivo de suas reflexões, de suas crenças ou de seu saber. Frequentemente ela se transforma ao longo da conversa. Assim, ela nunca deve ser separada da situação que a acompanha, nem de seu contexto".

Na pesquisa, o autor destaca que há mudanças entre a criança e o pesquisador (interlocutor), um processo que considero existir de forma semelhante na relação da criança com os participantes da escola. Por isso, é fundamental não centrarmos a relação apenas na criança. O que levou Wallon a sempre privilegiar o termo ambiência. Pois há sempre uma interação dinâmica entre a criança e o outro, a criança e o mundo. Um processo em que todos se transformam.

Outro aspecto a ser assinalado é que, do ponto de vista metodológico, Wallon antecipou-se ao seu tempo. Ele percebeu o quanto, na pesquisa, o próprio pesquisador (interlocutor) influenciava o objeto observado. Neste sentido, pode-se dizer que Wallon trabalhava de maneira inovadora. Ele foi um pioneiro em uma nova maneira de se fazer ciência, segundo a qual o objeto é considerado como mais uma variável interveniente da própria pesquisa.

A INFLUÊNCIA DO PENSAMENTO DE WALLON NA EDUCAÇÃO

Em vários momentos, ao longo deste artigo, assinalei a importância do pensamento walloniano para a Educação. Agora trabalharei, mais detidamente, em relação a esse aspecto, utilizando alguns dos textos em que o autor abordou as questões relativas à Educação.

Em um texto chamado A Formação Psicológica dos Professores, Wallon revela quais seriam as principais contribuições que a psicologia genética poderia dar à Educação. Ele destaca que não se deve partir das especialidades como se elas fossem respostas para o que acontece na vida dos professores. Alerta, ainda, que os problemas da educação não são simples questões de programa e, até mesmo podemos acrescentar, simples questões para investigação.

Wallon chama a atenção dos professores de que é preciso, em relação à própria psicologia, estarem atentos ao uso dos slogans e chavões. Ele aponta para o seu esvaziamento e o parco impacto que eles têm na prática dos professores.

Trata-se, a meu ver, de um aviso extremamente importante nos dias atuais em que o jargão da Psicologia e da Pedagogia vem se sofisticando cada vez mais. Multiplicam-se os termos, mas a prática nas escolas tem revelado poucos avanços. Estamos em um momento em que há uma descrença na capacidade da escola de ensinar. Existe ainda uma tentativa de se lidar com a Educação de maneira estandardizada, visando instaurar uma padronização na atuação. Uma crença de que seria possível controlar o que se revela ser sempre único e singular: o processo de construção da pessoa de cada aluno, de cada professor.

Para Wallon, só é possível seguirmos uma orientação de ensino psicológica quando, de fato, esse "pretende adaptar-se ao espírito e à natureza da criança". Ou seja, para ele, o que determina o processo é a própria criança e não a teoria ou fundamentação prática.

A concepção de infância trazida por Wallon foi responsável por se conceber de outra forma o processo de desenvolvimento da criança. Ele passou a ser visto, de maneira dinâmica, em suas múltiplas formas e processos. A criança surge como uma pessoa total. Uma pessoa com os seus diferentes domínios, como observa René Zazzo em "Wallon, Psicólogo da Infância": "Wallon, como é evidente, só se ocupou de crianças, mas definiu o seu domínio e as suas perspectivas de uma forma muito ampla. A psicologia da criança – disse – recebeu muito pouco da psicologia tradicional. Em contrapartida, modificou os pontos de vista desta, e até os seus princípios. Confrontando a criança e o adulto, ela ia permitir revelar, de etapa em etapa, o verdadeiro plano da vida mental. Enfim, o estudo da criança, ao analisar uma gênese real, ia permitir descobrir o homem".

Wallon trouxe contribuições tanto para a psicologia da criança quanto dos adultos. Ele revela como o pensamento se estrutura. Como a afetividade se constrói. Como a motricidade vai se fazendo aos poucos. Como a pessoa se relaciona com o mundo e com os demais.

A partir dessas contribuições ganharam todos. As crianças, os adolescentes e os adultos. Ele assinala, de acordo com Zazzo: "a criança tende para o adulto como um sistema para o estado de equilíbrio".

Porém, Wallon não para aí. Para ele, os professores devem estar sempre atentos ao estudo de dois aspectos: 1. as disposições que a criança apresenta dependentes da sua idade e do seu temperamento individual; e 2. as aptidões que são exigidas em cada disciplina a ensinar. Aspectos que são reconhecidos, de forma mais clara, pelos professores nos dias atuais. Contudo, na prática docente, é importante assinalar que eles não foram superados.

Aliás, Wallon alerta que, muitas vezes, aquilo que é proposto pelos reformadores educacionais tende a se apresentar de uma forma bastante simplificada. E, na prática, isso pode não funcionar de maneira adequada. "Todos concordarão, por exemplo, que a criança necessita de coisas simples e concretas. Mas partir deste princípio sem ter definido experimentalmente o que é, de fato, para a criança o simples e o concreto é, muitas vezes, aventurar-se em contrassensos pedagógicos", escreve Wallon em Psicologia e Educação na Infância.

Por tudo isso, destacamos que deve ter ficado evidente que, para Wallon, não há nada de simples e concreto no processo de construção da pessoa quando se considera o desenvolvimento da criança e, por que não dizer também, do adolescente e do adulto.

Assim, se por um lado o adulto lida com realidades complexas, até mesmo com realidades confusas e difusas, a criança, por sua vez, estrutura o seu pensamento a partir dos objetos e pessoas que a vinculam em relação à realidade. Um processo que vai do mais indiferenciado para o diferenciado. Uma construção que vai se estabelecendo aos poucos.

Mas, será que, no adulto, o processo é diferente? Wallon não nos deixa nenhuma ilusão a esse respeito. Também o adulto apresenta o seu pensamento de forma indiferenciada em um momento ou outro. Também ele tem que passar da indiferenciação para diferenciação continuamente. Em suma, o professor, como a criança, também pode não ter o seu pensamento e as suas ações de maneira tão clara quanto desejaria. O que pode afetar a construção da identidade pessoal tanto de professores quanto da própria criança.

A PESSOA EM SUA TOTALIDADE

No período em que Wallon viveu, o impacto do cinema, rádio, jornais e televisão era proporcionalmente menor ao que nós vivenciamos atualmente. A criança podia se dispersar em todos eles, mas havia uma tentativa de resgate de seus processos de pensamento crítico, através da busca do sentido e das significações de suas ações. Na era das mídias eletrônicas e televisivas, esses processos ganharam outros contornos.

Essa dispersão tornou-se ainda maior. Vivemos a época do imaginário ampliado – da realidade virtual. Do simbólico que nos propõe formas estandardizadas de pensamento. Aquelas da época da globalização e da massificação.

Nesse sentido um dos processos descritos por Wallon tornou-se essencial hoje. Trata-se da importância do ir e vir do sujeito em relação ao mundo e ao outro. Isto porque, para Wallon, é fundamental que a criança possa "operar mentalmente numa espécie de espaço intelectual distinto daquele em que estão os objetos que percebe", diz Wallon em Psicologia e Educação na Infância. Ele privilegia a existência de um espaço imaginário em que a criança possa transitar. Um espaço que seja distinto daquilo que ela observa: "A imagem deve poder transpor-se do mundo sensorial para um mundo onde os dados da percepção sejam como que sublimados, de modo que a imagem possa identificar-se com as livres construções da inteligência".

Para Wallon esses processos instituem condições mínimas de construção do pensamento. Em um mundo onde os deslocamentos imaginários e simbólicos são cada vez maiores, acreditamos que os trabalhos de Wallon sejam pequenas luzes iluminando a escuridão frente ao processo de construção da pessoa. Uma forma de resgatar a pessoa em relação ao seu tempo, ao seu espaço. A pessoa em toda a sua totalidade. O que acreditamos que Wallon faça isso como nenhum outro autor dentro do contexto da psicologia.

O legado - I

O PROCESSO DE CONSTRUÇÃO DA PESSOA

por Alice Beatriz B. Izique Bastos

A teoria walloniana, assim como a lacaniana, pode ser um importante subsídio para pensar o papel do educador, a instituição educacional e formas de intervenção

A teoria de Henri Wallon investiga as origens das emoções e o processo de construção da pessoa, integrada pelos campos da afetividade, da inteligência e do ato-motor. Essa perspectiva é fundamental, instigante e original porque estuda o psiquismo na sua formação e nas suas transformações com base na análise dos problemas relacionados às origens, partindo do que precede, do que se manifesta primeiro na cronologia das transformações para, a partir daí, buscar a significação funcional das formas mais complexas e diferenciadas.

Ao pensar a evolução da criança, o autor destaca a função social das emoções compreendidas como impulsos viscerais, sem mediação psíquica, sem direção nem intencionalidade. Na medida em que essas descargas impulsivas são interpretadas e significadas, elas passam a ter um sentido que gradativamente é compartilhado.

Sabemos que o bebê ao nascer encontra-se em estado de simbiose afetiva com a mãe, ou seja, ainda não é capaz de estabelecer diferenciação entre o eu e o outro. O papel do outro que interpreta e dá sentido às suas expressões emocionais, aos seus gestos e movimentos, é fundamental para que possa, aos poucos, haver uma diferenciação entre as suas respectivas emoções e uma transição de um momento puramente impulsivo para que posteriormente já seja possível uma comunicação com certa intencionalidade, com um sentido a ser compartilhado com o outro.

A emoção na teoria walloniana é a mola propulsora para a evolução do psiquismo uma vez que tem um caráter marcadamente social e pode funcionar como uma linguagem anterior à linguagem, como uma primeira forma de sociabilidade. Para Wallon, a primeira forma de consciência é orgânica e emocional, ainda confusa e global. Desta maneira, a emoção na teoria walloniana é compreendida como ponto de partida do psiquismo, da consciência e da vida social, uma vez que é por meio dela que vão se realizar as primeiras trocas da criança com o meio humano, os seus primeiros elos de significação e, gradativamente, a fundamental diferenciação eu-outro que é considerada o prelúdio da consciência de si.

CONSCIÊNCIA E REPRESENTAÇÃO CORPORAL

A conquista da representação corporal também é gradativa e necessita da diferenciação das partes do corpo. Ao ver a sua imagem refletida no espelho, o bebê tenta capturá-la procurando-a detrás do espelho, como se fosse a imagem de outro bebê. A criança começa por diferenciar as partes do corpo de outras pessoas antes de distinguir as partes do próprio corpo.

Ao observar e pesquisar as diferentes percepções do próprio corpo na criança, Wallon cita um exemplo muito curioso e ilustrativo de uma criança de 19 meses que devolve o sapato para o adulto quando ele lhe solicita, e em seguida, quando este pede para ela lhe dar o pé, ela tenta agarrar o seu próprio pé estendendo-o em direção a ele, como se fosse possível destacá-lo do seu próprio corpo. Este exemplo demonstra que ainda não há possibilidade de representação do corpo numa só unidade, pois a aptidão simbólica não está presente, uma vez que ela é uma condição imprescindível para a capacidade de representação corporal.

Por meio de observações e de experimentos sobre as diferentes reações da criança frente a sua imagem refletida no espelho, Wallon e seus colaboradores investigaram a evolução da consciência corporal. Por se encontrar em um estado de simbiose afetiva com o meio, a delimitação do próprio corpo e do mundo exterior no início da vida ainda é vaga e imprecisa, e não há condições de identificação da imagem. Aos poucos, estabelece-se uma associação entre a imagem de uma pessoa refletida no espelho e a sua voz, quando ao ouvir a pessoa refletida emitir um som, a criança vira-se automaticamente para procurá-la, demonstrando assim uma reação associada. Esta ação de se virar da imagem para a pessoa já implica a capacidade de estabelecer uma relação característica de um ato de inteligência.

A representação corporal se constrói por meio de etapas sucessivas, e é indispensável para os progressos da consciência, uma vez que podemos dizer que é o prelúdio do momento peculiar da tomada de consciência de si, da construção da identidade e do eu psicológico. Wallon refere-se ao processo de inacabamento do eu, portanto a uma perspectiva de incompletude e de constante possibilidade de diferenciação em todos os diferentes campos funcionais.

Podemos enfatizar que a representação do próprio corpo é um aprendizado complexo e é consequência do exercício contínuo de apreender seu próprio corpo em relação aos demais por meio se analogias e diferenciações. A conscientização do eu corporal pressupõe assim um nível mais evoluído de atividade intelectual suficiente para possibilitar uma verdadeira transposição mental na medida em que para compreender (diante do espelho) a existência simultânea de uma mesma pessoa em lugares diferentes é necessário poder substituir imagens, desenvolver a aptidão simbólica de desdobramento e de substituição, condição necessária para que se possa sair de um todo sincrético, estabelecer a distinção das diferentes partes do corpo para depois poder unificá-las.

As diferentes conquistas ao longo da ontogênese influenciam-se reciprocamente marcando novas possibilidades de aprendizagem e uma maior consciência de si. A consciência de si também vai se lapidando e se diferenciando ao longo da evolução psíquica sendo imprescindível a possibilidade de representar o próprio corpo para que a criança possa, aos poucos, tomar consciência de si e, simultaneamente, delimitar melhor sua identidade (Wallon usa o termo caráter, que aqui pode ser utilizado como sinônimo de identidade).

O ESTÁDIO DO ESPELHO EM LACAN

Ao formular o estádio do espelho Jacques Lacan subsidiou-se nas pesquisas e investigações de Henri Wallon e de seus colaboradores sobre o processo de construção da representação corporal. É possível estabelecer conexões entre esses dois autores partindo do ponto comum, e ao mesmo tempo diferente, da formulação deste momento específico na evolução psíquica do sujeito. Ambos ressaltam e enfatizam a necessidade deste momento no processo de construção (termo walloniano) e/ou de constituição (termo lacaniano) do sujeito. Para Wallon, o espelho projeta a imagem fiel e concreta do mesmo, mas para Lacan o espelho funciona como uma metáfora que destaca a função do olhar do outro sobre a constituição do sujeito, ou seja, o sujeito só se constitui por meio do outro. Bertrand Ogilvie em Lacan: a Formação do Conceito de Sujeito enfatiza que o momento do estádio do espelho é marcado pela primeira relação do sujeito consigo mesmo que é, irremediavelmente, uma relação com outro. Nessa perspectiva, a exterioridade está no interior do sujeito e não fora dele; por isso dizer que o outro está nele, que lhe responde como um espelho.

Para a teoria walloniana a questão que se coloca para a criança diante do espelho relaciona-se com o reconhecimento da imagem, na medida em que a representação do corpo próprio permite também a unificação de seu eu no espaço. Já a interpretação de Lacan está direcionada para o interesse em relação aos efeitos que o fenômeno especular produz na estruturação do sujeito, na sua busca por uma imagem.

Os dois autores nos alertam para o júbilo da criança perante o espelho quando reconhece sua imagem, mostrando que esta é uma conquista complexa e gratificante, que envolve uma antecipação psicológica diante da imaturidade fisiológica em que ainda se encontra a criança. Exemplo disso é o fato de a criança reconhecer-se no espelho, antes mesmo de construir sua identidade, seu eu ainda frágil.

Lacan prossegue com seus estudos relacionados à questão da constituição do sujeito, passando a estabelecer uma conexão estreita entre o sujeito e a linguagem, na qual supõe que o sujeito é um ser de linguagem, que a linguagem é a sua causa enquanto ele é seu efeito. Vai formular uma ideia central que irá sedimentar a perspectiva de seus estudos posteriores, na qual o inconsciente é estruturado como uma linguagem.

CONEXÕES WALLON E LACAN

O ponto de maior conexão entre Wallon e Lacan relaciona-se ao momento do estabelecimento de uma representação corporal imprescindível, tanto para o processo de construção da pessoa como de constituição do sujeito. Quando se reconhece em sua totalidade, a pessoa conquista uma nova perspectiva, capaz de lhe provocar uma reação de satisfação, de alegria tão intensa, que é compreendida como efeito do processo de identificação causado pelo reconhecimento da própria imagem.

Ambos também investigam o processo de diferenciação eu-outro como condição primordial para o advento do sujeito. Só que o outro na teoria walloniana é considerado um eu recalcado, um duplo eu, denominado sócius, com o qual o eu dialoga nos momentos de conflito e indecisão, funcionando também como um sensor ou juiz. O Outro para Lacan, escrito com maiúscula, é compreendido como o lugar da linguagem, do significante e do simbólico, e o sujeito vai se constituir a partir dele. Já na teoria walloniana o outro se constitui simultaneamente ao eu, tendo influências recíprocas.

Se para a psicanálise o objeto de investigação é o inconsciente, para Wallon a instância da consciência é destacada, assim como o fundamental processo de tomada de consciência de si, considerado um dos marcos wallonianos na medida em que, como os outros, progressivamente vai evoluindo e lapidando-se, configurando o processo de evolução da pessoa. Wallon nega a existência do inconsciente, sendo esta a diferença mais radical e importante entre os dois autores.

O sujeito lacaniano se constitui a partir da linguagem, e Lacan vai postular o inconsciente estruturado como uma linguagem e submetido à ordem significante. O sujeito do inconsciente é singular, próprio da psicanálise, e não pode ser confundido com o indivíduo, ou com a pessoa concreta. Já a pessoa total é integrada e articulada pelos diferentes campos da inteligência, da afetividade e do ato-motor e evolui na medida mesma do refinamento da consciência de si.

Enquanto a observação foi um instrumento imprescindível para a formulação da teoria de Wallon, na psicanálise a escuta pode ser considerada especialmente imprescindível, já que é por meio dela que se dá a via de acesso às manifestações do inconsciente.

Apesar das diferenças, creio que as duas teorias podem servir de subsídios importantes para se (re)pensar o papel do educador, a instituição educacional e a forma de intervenção. Se compreendermos o sujeito dentro desses dois referenciais teóricos, buscaremos respeitar sua singularidade e, principalmente, facilitar-lhe a possibilidade de diferenciação tão fundamental nos primeiros anos de vida.

O OLHAR WALLONIANO

O olhar walloniano é um olhar que permite interrogar seu objeto de forma precisa e em condições determinadas para que a observação possa ser planejada. Se a observação parte de uma indagação específica, é importante precisá-la para depois escolher o contexto mais adequado para a sua investigação, segundo Wallon esclarece em Psicologia e Educação da Infância.

A elaboração de projetos educacionais, o levantamento de questões para investigação, a problematização dessas questões, e a análise conjunta, são etapas fundamentais para uma melhor compreensão dos problemas e para a superação deles. A participação de diferentes profissionais nos projetos, desde o momento inicial de sua construção, favorece a diversidade de olhares sobre uma mesma questão, enriquece a análise e possibilita um maior engajamento deles diante das questões levantadas para a investigação.

A observação de bebês, por exemplo, está diretamente articulada à percepção das variações do tônus, dos seus incipientes meios de expressão, do tipo de contágio que suscitam, da interpretação que os adultos conferem às suas ações e da possibilidade que eles podem ter de partilhar esses significados. Numa creche, seria muito interessante observar as reações dos bebês com suas educadoras para saber se eles reagem diferentemente com cada uma delas, que meios de expressão eles utilizam, como respondem, como se relacionam e como elas atribuem significados às suas expressões.

Na mesma obra, Wallon destaca a função da observação como uma perspectiva para o pesquisador levantar novos problemas e questões para serem investigados. Nesse sentido, assim como as observações, as pesquisas também favorecem novas investigações, pois apontam para outras e assim por diante. Seu método de análise é dialético, constituído por observações, comparações múltiplas, estabelecimento de conexões, análise das diferenças e das contradições. A observação, aqui utilizada como o instrumento privilegiado de análise e ponto de partida para o levantamento de questões e de problemas relacionados com a própria observação, também necessita ser contextualizada.

A CONSTRUÇÃO DA PESSOA EM WALLON

Esta construção é gradual, num movimento marcadamente dialético, na medida em que envolve contradições e conflitos, conquistas tanto intelectuais, afetivas, como motoras. Na perspectiva walloniana, a pessoa é um projeto inacabado, assim como o eu, que lutará para construir-se e reconstruir-se nos diferentes momentos da evolução.

O processo de diferenciação ocorrerá em todos os campos, e os jogos de alternância, utilizados pela criança para distinguir dois polos diferentes de uma mesma situação (por exemplo, o ativo e o passivo) contribuirão para o estabelecimento desta diferenciação. Nesses jogos, a repetição de uma mesma ação favorece a alternância do papel de sujeito e de objeto, de quem age e de quem sofre a ação, possibilitando, assim, o progressivo reconhecimento de si. Esta conquista, marcada pelo que Wallon denomina de tomada de consciência de si, se dá também de forma gradual, no momento mais específico de uma primeira tomada de posição do sujeito, quando ele passa a se denominar na primeira pessoa. Este momento único da evolução psíquica é conhecido como o estágio do personalismo, no qual a criança busca afirmar-se enquanto um eu ainda frágil perante o outro por meio da oposição intensiva ao adulto, com a intenção de afirmar seu território recém-conquistado. Posteriormente ela volta-se para despertar no adulto, por meio da sedução, admiração e reconhecimento. Ser admirada também é uma estratégia utilizada para a afirmação de si pelo outro, por sua aprovação. Ainda neste momento passa a interessar-se pela imitação das pessoas que admira e que gostaria de ser. Por meio da imitação ela pode substituir o outro em si, representando-o e desejando incorporá-lo.

O SUJEITO SOCIAL

Como vimos, o processo de diferenciação eu-outro é considerado como o prelúdio da tomada de consciência de si, na teoria walloniana, que concebe o sujeito como um sujeito social, que ao longo de sua evolução vai diferenciando-se, individualizando-se e refinando não só os mecanismos mais predominantemente afetivos, como também os intelectuais. Desta maneira, Wallon se aproxima mais da ideia freudiana de sujeito que resgata seu aspecto também eminentemente social, assim como nos primeiros estudos de Lacan nos quais verificamos que o autor inicialmente vai destacar o papel e as influências do meio social, do desenvolvimento singular e das relações sociais. Ainda de acordo com as investigações realizadas a partir da tese de Lacan, podemos assinalar que a orientação de seus estudos passou então a direcionar-se à questão da constituição do sujeito, como ser social, ressaltando a importância da dimensão cultural, que constitui a própria natureza da nossa espécie. Antes mesmo de identificar a linguagem como o lugar próprio do inconsciente, Lacan irá investigar o campo social, a família, e um pouco mais tarde elaborará o estádio do espelho, articulando-os como lugares no interior dos quais se manifestam os fenômenos psíquicos. Portanto, podemos sugerir aqui mais uma conexão entre Wallon e Lacan, na medida em que ambos concebem o sujeito como um sujeito social, inserido na cultura e na linguagem.

Na ótica walloniana este sujeito lutará para individualizar-se e estará continuamente articulado com o outro, estabelecendo uma reciprocidade de influências entre o eu e o outro, na medida em que passam a assumir diferentes configurações de acordo com as situações e com a especificidade de cada momento da evolução, uma vez que se constituem simultaneamente a partir da diferenciação, da complementaridade e da oposição. Assim, são compreendidos como um par antagônico que se completa pela própria oposição, tendo uma filiação comum.

O outro, considerado como parceiro perpétuo do eu, também denominado de sócius, possui funções semelhantes ao conselheiro, ao censor. Aqui é possível estabelecer uma conexão com a psicanálise freudiana, especificamente com o conceito de superego, que também exerce a função de juiz e de sensor do eu, justamente por ter uma função repressiva.

ALTERNÂNCIA DAS FUNÇÕES DA AFETIVIDADE E DA INTELIGÊNCIA

Ao longo da evolução psíquica, há uma alternância das funções da inteligência e da afetividade. O estágio do personalismo é orientado pela função da afetividade, especificamente direcionado para o enriquecimento do eu. Já no momento do estágio categorial há uma inversão de preponderância funcional que corresponde a uma nova diferenciação, agora orientada para a evolução do próprio pensamento.

A nítida conquista de uma personalidade ainda em construção já pressupõe uma diminuição do sincretismo da pessoa, uma clara demarcação de si e do outro, condição fundamental para as novas conquistas e transformações do próximo estágio, o categorial, mais especialmente no plano da inteligência. As diferenciações realizadas no plano da pessoa são agora elaboradas no plano intelectual, orientando-se para uma superação do sincretismo do pensamento.

A pessoa completa vivencia momentos de crises, de conflitos, de busca de afirmação, nos quais necessita romper com os esquemas anteriormente estabelecidos para lançar-se a novos desafios. No período da escolarização, por exemplo, em que a função da inteligência é preponderante e as atividades estão voltadas para o mundo externo, para a diferenciação progressiva do pensamento, podemos perceber como este vai se lapidando, uma vez que inicialmente também se encontra em um estado mais indiscriminado. Ao pesquisar o pensamento infantil por meio de perguntas e de questionamentos, Wallon, em As Origens do Pensamento na Criança, procurou apreender seu funcionamento em seus primórdios. A partir destas investigações ele vai formular a concepção de que inicialmente a criança necessita estabelecer um pensamento por meio de pares, em que a dualidade é preliminar à unidade (por exemplo, para pensar o sol remete-se à lua). A utilização do termo complementar auxilia o pensamento na perspectiva da diferenciação e da oposição, sendo o pensamento por pares considerado como a mais simples das estruturas que dará suporte para novas e mais complexas relações. Com o advento da representação o pensamento já pode estabelecer diferenciações, categorizações, classificações, levantar hipóteses, enfim, operar por meio de representações. Pensamento e linguagem nesta perspectiva teórica estão estritamente conectados. E mais, para Wallon a função da inteligência pode ser definida como a capacidade de explicação da realidade, uma vez que explicar é semelhante à possibilidade de determinar as condições de existência.

No momento da puberdade e adolescência, com os progressos já realizados no plano da inteligência e da afetividade, com mais recursos e instrumentos capazes de diferenciação de si e do outro, consolida-se, de certa maneira, uma nova conquista direcionada à construção da pessoa, já com um delineamento mais nítido da própria identidade. A identidade, nesta perspectiva teórica, também se apresenta inacabada, assim como o eu, que ao longo da evolução vai apresentando diferentes contornos, configurações e vicissitudes.

O PAPEL DO EDUCADOR DE BEBÊS

A teoria de Wallon nos instiga a destacar e investigar o papel do educador nos diferentes momentos da evolução psíquica, pois a ação educativa intencional e comprometida mostra-se fundamental para a possibilidade de um olhar mais atento para as necessidades e desafios tanto das interações como da aprendizagem do sujeito. Especificamente sobre a importância do educador, é possível investigar melhor o papel do educador de bebês como intérprete das expressões afetivas na ótica walloniana.

Justamente a partir das primeiras conexões estabelecidas entre Lacan e Wallon, pode-se, por meio da escuta psicanalítica de educadores, analisar a contribuição desta para a ressignificação do papel do educador de bebês. Ao retomar o estudo sobre a função social da emoção verifica-se que as expressões emocionais precisam ser interpretadas num primeiro momento para que o bebê possa compartilhar seu significado com o outro. O que permite as trocas de significados é o que Wallon denominou de contágio emocional pelo seu forte valor expressivo, cuja consequência é um impacto afetivo causado pelas manifestações das crianças. Portanto, cabe ao educador estar atento às expressões emocionais dos bebês, às diferentes maneiras de comunicação não intencional de suas necessidades, às suas particularidades, para poder conferir significado às suas ações e auxiliar no processo de diferenciação de seus meios de expressão. Se o educador exercita esta interpretação, nomeia e dá sentido às ações e expressões inicialmente impulsivas, ele passa a ter um papel primordial na evolução psíquica e na entrada desta criança no circuito de trocas de significados e da cultura propriamente dita.

A AÇÃO EDUCATIVA NOS DIFERENTES MOMENTOS DA EVOLUÇÃO PSÍQUICA

O papel do educador é diferenciado em todos os momentos da evolução psíquica, e assume especificidades de acordo com as necessidades e desafios desta mesma evolução. Se nos remontarmos ao processo de construção da pessoa, poderemos perceber a alternância das funções da afetividade, da inteligência e do ato-motor. Essas funções estão intimamente articuladas influenciando-se mutuamente, porém em cada momento específico assumem uma determinada preponderância, redirecionando as atividades da criança ora para a edificação de seu eu, de sua identidade, quando a função preponderante é a afetividade, ora para a construção do conhecimento e do mundo externo quando a função preponderante é a inteligência.

Se o início da vida é marcado pelo forte poder de expressividade da emoção e por uma conquista ainda que frágil do eu corporal, num momento posterior a perspectiva de investigação e de exploração dos objetos é mais presente, marcando a preponderância da função da inteligência. A atividade sensório-motora conduz a criança à inteligência prática, denominada de inteligência das situações, ou seja, a forma de inteligência mais imediata e concreta. Com a aquisição da aptidão simbólica, também característica deste momento específico, é possível representar e ultrapassar o espaço próximo e concreto ampliando a percepção da realidade e do espaço, possibilitando pensar os objetos na sua ausência.

A partir de uma pesquisa que realizei em creches sobre o papel e a importância das interações de crianças pequenas para a sua evolução psíquica (1995), pude analisar que a ação educativa deve procurar facilitar a investigação e a exploração das crianças sobre os objetos. Assim, é possível auxiliá-las no processo de nomeação e distinção desses objetos, condição para a crescente diferenciação deles, organizando o espaço e as atividades, e tendo a fundamental função de intermediar os conflitos e estimular a conquista da independência.

Portanto, neste momento da evolução da criança, penso que o papel do educador pode ser o de mediador do processo de construção de conhecimento da criança, propiciando situações educativas permeadas por desafios de aprendizagem em relação aos objetos e ao espaço, à progressiva nomeação e diferenciação dos objetos, e também, favorecendo o exercício de jogos simbólicos por meio de materiais instigantes.

Assim como a capacidade simbólica, a consciência corporal é fundamental para o enriquecimento do eu e para a construção da personalidade. Como já foi assinalado, o processo de construção do eu é permeado por contradições, conflitos e verdadeiras crises, que reaparecem na puberdade e na adolescência e que, apesar de modificarem-se, jamais acabam.

Nestes momentos mais voltados para a construção do eu, da personalidade, especificamente na puberdade e adolescência, o papel do educador está articulado a uma perspectiva de continência ao outro e, simultaneamente, a uma construção de referência de autoridade, de mediação de limites, de espaço de respeito e até mesmo de diferenciação, na medida em que o adolescente tem necessidade de estabelecer uma relação de maior independência, conquistar sua autonomia pessoal e moral, para melhor afirmar-se, poder fazer escolhas, além de ser capaz de posicionar-se diante das diferentes situações e aprendizagens.

WALLON E A EDUCAÇÃO

São inúmeras as originalidades da teoria de Henri Wallon e as transformações que ela propiciou ao campo da Psicologia e da Educação. O estudo integrado e complexo dos processos do desenvolvimento da pessoa, a investigação do papel da emoção, a concepção de motricidade, de inteligência, de gênese humana, a maneira original de pensar a Psicologia e o método dialético de análise revelam a contemporaneidade do pensamento desse autor e a fundamental relevância de sua obra.

A investigação dos problemas das origens mobilizou quase toda a sua obra, que se dedica ao estudo das origens da emoção, do caráter, do psiquismo e da inteligência. Sua produção é bastante complexa, densa e difícil, mas é extremamente gratificante, depois de algum tempo de estudo, poder compreender como ela revela uma rede rica de articulações, de conexões, de movimentos, capazes de transformar de vez a visão linear e mecanicista do desenvolvimento humano.

A teoria walloniana, assim como a psicanálise de orientação lacaniana, podem servir de subsídios importantes para pensar o papel do educador, a instituição educacional e formas de intervenção. Ao tomar contato com essas teorias, pode-se repensar o papel das instituições, tanto educacionais como clínicas, no sentido de se ficar mais atento em relação à própria subjetividade humana.

O legado - II

INSPIRAÇÃO PARA PESQUISAS EM EDUCAÇÃO

por Abigail Alvarenga Mahoney

As ideias de Wallon sobre a escola são mais do que nunca oportunas, nos dias de hoje, quando há uma tendência em minimizar as relações pessoais entre aluno e professor e até mesmo substituí-las por relações virtuais

Wallon visitou o Brasil entre as duas grandes guerras mundiais, mas sua repercussão foi limitada a uma parcela da academia. Suas ideias não receberam a atenção merecida, considerando-se sua relevante contribuição para a psicologia científica do século XX.

A partir dos anos 1980 sua obra começou a suscitar maior interesse entre universitários, graças a Pedro Dantas, psiquiatra brasileiro que estudou em Paris e manteve contatos diretos com Wallon e René Zazzo. Divulgou suas ideias em conferências, traduziu uma de suas principais obras, As Origens do Caráter na Criança, e escreveu um livro em 1983, Para Conhecer Wallon: uma Psicologia Dialética, em que analisa as principais contribuições para a psicologia, abrindo assim um espaço para a divulgação de uma teoria de desenvolvimento, que poderia colocar nas mãos de professores um instrumento para tornar mais competente seu desempenho.

A trilha aberta por Pedro Dantas foi seguida por sua filha Heloysa Dantas, com foco preferencial em educação e psicologia. Ela promoveu a divulgação das ideias de Wallon como professora, pesquisadora e orientadora de muitos trabalhos na Universidade de São Paulo.

Em 1994 Wallon passou a ser estudado no Programa de Estudos Pós-Graduados em Psicologia da Educação da PUC-SP. Resultou do desdobramento de um grupo de estudos coordenado por Heloysa Dantas. Quando esse se desfez, dei continuidade às leituras e discussões com alunos interessados no assunto e, por insistência deles, alunos vindos de vários estados brasileiros, o tema se transformou em uma disciplina optativa que gerou uma série de pesquisas de mestrado e doutorado, esclarecendo e aprofundando questões fundamentais da teoria para o desempenho docente.

Teorias são propostas que se transformam em instrumentos de pensamento, orientando o foco para questões que intrigam e interessam os pesquisadores porque fazem sentido na busca de melhora da compreensão e da prática.

Teorias de desenvolvimento, por sua vez, são um recurso indispensável na formação de professores e as mais divulgadas no Brasil – Piaget, Vigotski e, mais recentemente, Wallon – têm proporcionado um manancial de indagações e conhecimentos úteis para a área da educação. É o que veremos em seguida ao analisarmos pesquisas feitas no Programa de Estudos Pós-Graduados em Psicologia da Educação da PUC-SP, com o referencial walloniano.

TEORIA DO DESENVOLVIMENTO: DA CRECHE AO ENSINO SUPERIOR

As pesquisas focaram diferentes níveis de escolaridade, desde creches, ensino fundamental (5ª, 6ª, 7ª, 8ª séries), Educação de Jovens e Adultos (EJA) e ensino superior. Em todos os trabalhos desenvolvidos, aluno e professor foram considerados na sua totalidade, analisando-se seu comportamento como resultado da integração da vida psíquica (motor, emoção, razão,) com o meio sociocultural em diferentes períodos do desenvolvimento. E mantiveram-se coerentes com as teses fundamentais que estruturam a teoria de desenvolvimento walloniana.

Wallon expressou em suas obras e em sua vida um profundo interesse pela educação, por isso colocou o processo ensino-aprendizagem em outro patamar, insistindo na educação escolar como recurso fundamental para o progresso na direção da humanização da sociedade. Essa era uma de suas metas, talvez a mais importante, uma vez que viveu um período, do qual participou intensamente, de grande turbulência e crueldade na política, durante as duas grandes guerras mundiais. Humanização entendida como o desenvolvimento de valores, que devem se expressar no relacionamento professor-aluno para que se integre na relação aluno-aluno, como condição para sua aprendizagem e expressão em outros contextos: desses valores Wallon considerava como um dos mais básicos a solidariedade, sobrepondo-se à competição tão estimulada na cultura ocidental.

Outro princípio importante levado em consideração nas pesquisas foi a descrição de períodos de desenvolvimento como parte de um processo contínuo, isto é, atividades do momento presente resultando em interesses e necessidades que já foram satisfeitas e preparando para o momento posterior. Trata-se de uma sequência temporal em que cada período é gestado pelo anterior e prepara a emergência do próximo. As situações a que a criança reage são as que correspondem aos recursos de que dispõe naquele momento. Precisam ser conhecidos diretamente por uma observação cuidadosa e não só deduzidos do fator idade ou de uma teoria.

Todas as pesquisas, desde a creche até o ensino superior, indicaram a necessidade na formação de professores de adotarem uma concepção mais clara dos conceitos de emoção e sentimento, diferenciando-os daqueles produzidos pela visão ingênua que os identificam com agrados, carícias, beijinhos; de esclarecimentos de suas possíveis e inevitáveis consequências no processo ensino-aprendizagem, uma vez que estão sempre presentes em qualquer atividade executada, mesmo quando o predomínio é do cognitivo. Merecem, portanto, a mesma atenção que a organização dos conteúdos a serem apresentados.

Mostraram também, como afirma Wallon, que a observação nas atividades de aula é uma habilidade fundamental, básica, que o professor precisa desenvolver, não só para conhecer melhor seus alunos e adequar o conteúdo ao seu desenvolvimento, como para perceber, de forma mais precisa, o resultado das atividades propostas. Essa observação não deve focar apenas a relação professor-aluno, mas as interações entre os alunos. A forma desse relacionamento, revelador de atitudes, crenças, valores, pesa bastante no resultado da aprendizagem.

Pesquisas em creches e no EJA, portanto, com crianças bem novas e adolescentes e adultos, mostraram que uma atenção especial deve ser dada ao período inicial, uma vez que exige dos alunos novas atitudes e comportamentos que podem ou não facilitar sua adaptação a um novo meio social – a escola. Identificar suas necessidades sugeridas pela observação e pela teoria pode estimular comportamentos facilitadores dos responsáveis pela escola, em especial dos professores, evitando esse desgaste inicial.

Alguns trabalhos mostraram também a necessidade de o professor estar atento às suas próprias emoções e sentimentos, às situações provocadoras e buscar recursos – na medida do possível – para identificar e cultivar aquelas que facilitam seu desempenho.

Outros trabalhos mostraram que nesses casos o coordenador, o diretor, o formador assumem um papel muito relevante – ouvindo e buscando organizar atividades que criem condições para que o trabalho docente se desenvolva de tal forma a responder às necessidades do professor para ensinar, facilitando emoções e sentimentos de bem-estar.

A título de exemplo, apresentamos um quadro de sentimentos de professores e as situações indutoras, a partir de pesquisas realizadas com professores de Ensino Superior (ES), professores que trabalharam em Projetos de Educação Continuada (PEC) e professores do Ensino Fundamental (EF).

Na pesquisa "Afetividade e Processo Ensino-Aprendizagem: Um Estudo com Professores do Ensino Superior" predominaram sentimentos de mal-estar nos três momentos referentes à aula: preparo, apresentação, término. Indicaram mais ansiedade, irritação, insegurança do que alegria, satisfação, animação.

DISCUSSÃO DOS RESULTADOS

Observando os dados organizados nos quadros, percebe-se que: os sentimentos e as emoções foram nomeados com clareza nas respostas dos professores; a qualidade do relacionamento que o professor estabelece é fundamental para o desenvolvimento do processo ensino-aprendizagem; o processo ensino-aprendizagem se constitui no empenho dos dois polos – professor e aluno.

O que contribui para tonalidades agradáveis: relacionamentos professor-aluno nos quais os alunos respondem ao ensino porque

SENTIMENTOS E SITUAÇÕES INDUTORAS QUE PREDOMINAM EM UM DIA TÍPICO DE TRABALHO - TONALIDADES DESAGRADÁVEIS

SENTIMENTOS	SITUAÇÕES INDUTORAS
	NO PREPARO DAS AULAS
ANSIEDADE	• Necessidade de preparar um bom roteiro • Pouco tempo para o preparo dos materiais • Incerteza quanto aos objetivos e metodologia propostos
PREOCUPAÇÃO	• Importância de conferir os materiais que serão utilizados • Preparar recursos adequados
DESÂNIMO	• Quando a turma com a qual vai trabalhar não tem afinidade com o professor e a disciplina, e é de difícil convivência
	NO DESENVOLVIMENTO DAS AULAS
ANSIEDADE/ ANGÚSTIA	• Tentar despertar o interesse e a responsabilidade • Tentar conquistar os alunos e mostrar que o ensino é importante • Achar que não dá tempo de atender a todos
APREENSÃO	• Perceber que a maioria não gosta da disciplina • Não estar certo do acordo entre metodologia e conteúdo
IRRITAÇÃO	Quando: • os alunos não leram o texto • há conversas paralelas • não há boas interações dos alunos • não há participação
TENSÃO/ AGITAÇÃO	• Para não exceder o tempo da aula • Para cumprir os horários de chegada, e horários de início e término da aula
INSEGURANÇA	• Mesmo planejando com base na experiência passada, o interesse não é despertado
TRISTEZA, RAIVA	Quando: • os alunos faltam com o respeito com colegas e professor e extrapolam os limites da boa convivência • alunos tentam transferir o problema deles para o professor • não há comprometimento
SOLIDÃO	• Quando percebe que os alunos não se motivam e fica sozinha na aula
	AO FINAL DA AULA/DO DIA
FRUSTRAÇÃO/ DESÂNIMO	• Consciência de que a aula não foi a mais adequada, porque as turmas são grandes • Quando não conseguiu resolver algum problema • Quando objetivos não foram atingidos
INSEGURANÇA	• Quando a classe esteve dispersa
ESTRESSE/ CANSAÇO	Quando: • houve problemas de indisciplina • não houve boa interação
INUTILIDADE/ INCAPACIDADE	• Perceber problemas de formação e desinteresse dos alunos, mas não há interesse da Administração em resolvê-los
INQUIETAÇÃO	• Com os problemas que as turmas apresentam
SOLIDÃO	• Não ter com quem trocar experiências

atende às suas necessidades, o professor percebe que ele ensina e o aluno aprende; relacionamentos flexíveis, professor e aluno "negociam" acordos; gosto pelo ensinar, vibração pela atividade docente.

As situações que garantem a tonalidade agradável têm como apoio o respeito às necessidades e às características do aluno e do professor.

O que contribui para tonalidades desagradáveis: pouco tempo para se dedicar ao preparo das aulas, para atender a todos os alunos; pouca confiança na sua competência para dar conta das tarefas; não

COMPORTAMENTOS DOS ALUNOS, EM SALA DE AULA, QUE ESTIMULAM O PROFESSOR

ALUNOS ESTIMULAM O PROFESSOR QUANDO:	
DEMONSTRAM ENVOLVIMENTO COM A DISCIPLINA	• mostram gosto pelo conteúdo da área • mostram que percebem a beleza da disciplina • mesmo com dificuldade, mostram vontade de superá-la e aprender
DEMONSTRAM INTERESSE PELA AULA	• fazem colocações, comentários, perguntas • leem os textos e refletem sobre eles • trocam informações com o professor • empolgam-se com as discussões
DEMONSTRAM RESPEITO PELO PROFESSOR E PELOS COLEGAS	• ouvem os colegas e o professor • tratam com cordialidade os colegas e o professor • tratam com educação os colegas e o professor
DEMONSTRAM PRAZER E ALEGRIA	• mostram que estudar pode ser prazeroso • relacionam o conteúdo com suas experiências • mostram alegria por relacionar o conteúdo com suas práticas
DEMONSTRAM SENSO CRÍTICO	• apresentam uma visão ampla do mundo • não se deixam empolgar pelo consumismo
DEMONSTRAM ACEITAÇÃO DO PROFESSOR	• fazem o professor sentir que é compreendido como pessoa e não só no conteúdo da disciplina • correspondem ao olhar do professor • percebem que o afeto do professor não significa "amolecer a exigência"

participação efetiva dos alunos nas atividades propostas; indisciplina; solidão por não haver espaço para troca de experiências com colegas; relacionamentos pouco satisfatórios do ponto de vista afetivo por falta de afinidade da turma com a disciplina ou professor. As situações que provocam tonalidades desagradáveis indicam não atendimento das necessidades e características do aluno e do professor.

Sintetizando, os resultados indicam que o professor de Ensino Superior gostaria de ter um aluno que: demonstrasse vontade de aprender e interesse pelo curso, participando e questionando; revelasse envolvimento com o curso, estabelecendo ligação teoria-prática; que apresentasse respeito pelos colegas e professores, sem conversas paralelas, uso de celulares; que apresentasse valores éticos e senso crítico. Essas situações com tonalidades agradáveis induzem sentimentos de alegria, vibração, animação, satisfação, desafio, encantamento, esperança.

Porém, sente-se desestimulado quando, na situação concreta de sala de aula, seu aluno: não participa, não se envolve com o curso; demonstra desinteresse, indiferença, apatia; não lê os textos, conversa alto enquanto o colega ou o professor estão falando; atende o celular; vê a aula como uma obrigação chata; demonstra descaso, distância, desrespeito, ausência de comunicação e contato; demonstra falta de reflexão crítica, visão estreita do mundo; interesse apenas por questões técnicas; reivindica compreensão dos professores para seus atrasos, faltas, pouca ou nenhuma leitura, sem dar nada de si; exige ser considerado "coitado", "vítima", para esconder seu pouco envolvimento com o curso e a formação. Gostaria de ter ainda: tempo para preparar melhor suas aulas; condições para chegar ao começo das aulas sem agitação ou atropelo; turmas menores; espaço para trocar experiências com seus pares; condições para ter maior e melhor contato com os alunos. Essas situações com tonalidades desagradáveis produzem: ansiedade, irritação, tristeza, raiva, frustração, insegurança, desânimo, solidão.

Os sentimentos de tonalidades agradáveis são as expressões de necessidades de: ter o trabalho reconhecido, de ser respeitado e ter limites estabelecidos na relação professor-aluno e professor-instituição; ter um trabalho que garanta formação de bons profissionais, que inclui formação de atitudes e valores; sentir-se progredindo em suas habilidades de professor; ser compreendido pelo outro (aluno) não só no conteúdo, mas em sua forma de ser; trabalhar em ambientes promotores de relações interpessoais harmoniosas e produtivas.

A confirmação dessas necessidades e sua melhor compreensão exigiriam entrevistas recorrentes, que chegassem ao conhecimento da trajetória de vida dos professores.

Outras pesquisas se centraram em aspectos particulares do processo ensino-aprendizagem como atenção/desatenção, esclarecendo como diferentes atividades pedem formas e níveis diferentes de atenção: focada ou distribuída. Para os adolescentes, na fase de busca de sua identidade, mostrou-se importante selecionar conteúdos atraentes, variados, estimulantes, tendo como suporte um bom relacionamento com os professores.

Todos os trabalhos acabaram, ao responder às suas indagações, dando um destaque à afetividade (sem esquecer sua integração ao motor e ao cognitivo) o que resultou em pesquisas explorando emoções, sentimentos específicos: medo, raiva, alegria, tristeza com grupos diferenciados de sujeitos: alunos com dificuldades motoras ou mentais, alunos de enfermagem, adolescentes, adultos de supletivo EJA e ensino superior. Mostraram a importância de uma observação apurada do professor para identificar as necessidades típicas de cada grupo, formas possíveis de satisfazê-las e em especial, as situações em sala de aula que provocam os diferentes sentimentos de bem-estar ou mal-estar. Incluíram professores de várias disciplinas em escolas públicas ou particulares: português, matemática, história, geografia, ciências, educação física, medicina veterinária, natação, filosofia, arte, música e supervisão acadêmica de estágio.

A comparação entre algumas pesquisas trouxe resultados surpreendentes. Por exemplo, alunos de séries iniciais da escola fundamental e do EJA (supletivo) reagiram com alegria às mesmas situações: frequentar a escola, aprender, o olhar atento do professor.

Foram também desenvolvidas teses que buscaram aprofundar constructos fundamentais: afetividade e interações sociais para entendimento de suas relações e resultaram em trabalhos teóricos.

As pesquisas usaram principalmente observação e entrevistas, realizadas no contexto da escola e sala de aula.

Para Wallon, a escola é um contexto privilegiado para conhecer e estudar melhor a criança porque amplia as possibilidades para ela se expressar. A família tradicional, devido a sua estrutura, limita os papéis, as funções que a criança pode desempenhar: primogênito, filho do meio, caçula. Quando ela vai para escola, aprenderá a desempenhar vários outros papéis, além de aluno e colega: preencherá diferentes funções conforme os grupos, as atividades oferecidas. Portanto, terá mais meios para se expressar e revelar seus conhecimentos e potencialidades. Os grupos são condições socialmente organizadas e propícias ao desenvolvimento da criança e revelam para ela a cultura a que pertence e que poderá um dia enriquecer.

Em toda sua obra, Wallon mostra a importância das condições sociais para o desenvolvimento da criança e que a área da educação

COMPORTAMENTOS DOS ALUNOS, EM SALA DE AULA, QUE DESESTIMULAM O PROFESSOR

ALUNOS DESESTIMULAM O PROFESSOR QUANDO:	
DESRESPEITAM O PROFESSOR E OS COLEGAS	• conversam alto quando os outros estão falando • fazem barulho em excesso • atendem celular • fazem brincadeiras • fazem "deboches" dos colegas • atrapalham quem quer aprender • ficam em conversas paralelas
DEMONSTRAM DESINTERESSE PELA AULA	• não leem os textos • não participam das atividades • não se concentram • veem a aula como uma "obrigação chata"
FAZEM-SE DE VÍTIMAS	• reivindicam compreensão do professor para seus atrasos, faltas, pouca ou nenhuma leitura, sem dar nada de si • apresentam-se como "coitados" para esconder seu pouco envolvimento com o curso e a formação
DEMONSTRAM MOTIVAÇÃO DIFERENTE DA EXPECTATIVA DO PROFESSOR	• interessam-se apenas por questões técnicas • escolhem a profissão para ter prestígio, dinheiro e poder • mostram visão estreita do mundo

precisa se valer de outras ciências para enriquecer sua compreensão e aplicação: entre elas, a genética, a sociologia, a psicologia.

Relações entre pedagogia e psicologia estiveram sempre presentes em suas reflexões como duas fontes de princípios e de problemas a serem estudados. A educação é um terreno fértil para se testarem princípios sugeridos pela psicologia e é ao mesmo uma fonte para identificação de problemas a serem estudados pela psicologia. É uma relação recíproca.

Wallon valoriza muito o professor e sua experiência, de onde pode decorrer uma sabedoria impossível de adquirir somente em obediência a princípios psicológicos já estabelecidos. Somente na vivência, na experiência vivida do dia a dia é possível um ajustamento mais seguro das atividades às necessidades do professor e dos alunos. As conclusões a que ele chega a partir de sua prática serão úteis e instrutivas para a própria psicologia. As atividades do processo ensino-aprendizagem se tornam psicológicas na medida em que se adaptem à natureza da criança, às suas características conforme a fase em que se encontra. O senso pedagógico pode ser adquirido pela experiência, pela prática do dia a dia, pela adaptação às circunstâncias, à matéria ensinada e às disposições da criança.

Sobre isso Wallon afirma: "A formação psicológica dos professores não pode ficar limitada aos livros. Deve ter uma referência perpétua nas experiências pedagógicas que eles próprios podem pessoalmente realizar".

As pesquisas realizadas também reforçam a afirmação de Maria José Werebe, que foi estagiária no laboratório de Psicobiologia da Criança, fundado por Wallon, com cujas palavras deixo o leitor: "A análise de Wallon sobre a escola e o papel das relações que em seu seio se desenvolvem é mais do que nunca oportuna, atual e importante, quando se observa em nossos dias o desenvolvimento de uma tendência a minimizar essas relações e até mesmo substituí-las por relações virtuais na base das modernas técnicas de informática".

O legado - III

O PONTO DE VISTA DA CRIANÇA

por Silvia Helena Vieira Cruz e Sandra Maria de Oliveira Schramm

O pensamento de Wallon possibilita compreender melhor os diversos aspectos que compõem o complexo desenvolvimento da pessoa, ressaltando as interações estabelecidas entre ela e o meio, desde seu nascimento

É possível identificar nos últimos anos uma mudança importante nas pesquisas que envolvem crianças: enquanto nas primeiras décadas do século XX procurava-se apenas identificar as características de cada etapa do seu processo de desenvolvimento, entender como elas adquirem conhecimentos, habilidades etc., hoje vários pesquisadores buscam conhecer o ponto de vista delas.

Esses pesquisadores consideram que as crianças interagem de uma maneira ativa com a cultura em que vivem, se apropriam dos conhecimentos, crenças, desejos e necessidades presentes, produzem significados, têm opiniões sobre as experiências que vivem e são competentes para expressá-las. Portanto, conhecer as suas percepções pode ampliar o nosso conhecimento sobre a realidade (já que incorpora novos pontos de vista) e fornecer elementos preciosos para rever práticas destinadas a elas. No campo da educação infantil, por exemplo, há pesquisas que apontam grandes diferenças entre as perspectivas dos adultos e das crianças, como é o caso da presença de brinquedos e brincadeiras como característica de uma creche ou pré-escola de qualidade: enquanto os adultos não a mencionam, as crianças são unânimes em afirmar que são imprescindíveis, como viram Campos e Cruz, na Consulta sobre Qualidade na Educação Infantil, pesquisa, realizada pela Campanha Nacional pelo Direito à Educação (rede de instituições que tem como objetivo divulgar e efetivar o conceito de educação enquanto direito humano) em 2006.

No entanto, a apreensão do ponto de vista das crianças exige a consideração de várias questões teórico-metodológicas e éticas. Afinal, trata-se de uma relação na qual estão presentes várias assimetrias, que terminam por configurar uma situação desigual de poder: são adultos perguntando a crianças (que normalmente precisam submeter-se a eles) e muitas vezes adultos pertencentes a classe social, gênero, raça e etnia de maior prestígio que os das crianças. Não surpreende, portanto, que elas procurem "acertar" as respostas dadas, agradar ao adulto dizendo-lhe o que acham que ele deseja ouvir. Reforça essa tendência o fato de muitas vezes as crianças estarem, nesse momento, passando por uma fase do processo de constituição da identidade, processo esse descrito por Wallon, no qual elas sentem mais necessidade da aprovação dos adultos.

Torna-se, necessária, portanto, a adoção de estratégias que minimizem esse problema, como a realização de entrevistas coletivas, que estimulam o fortalecimento das crianças, além de propiciar a complementação de ideias e o debate entre elas. Pode ser oportuno também oferecer às crianças variadas formas de se expressarem, como, por exemplo, através dos personagens de histórias, situação na qual elas não precisam assumir a autoria de opiniões e sentimentos que sabem serem malvistos pelos adultos (como preferir que não existam tarefas para casa, não gostar da professora ou não querer ir para a pré-escola). Ao mesmo tempo, é necessária especial atenção à questão ética do consentimento e da manutenção da participação das crianças na pesquisa, cuidar para que elas não se sintam constrangidas a isso e observar se estão interessadas em participar ao longo de todo o processo.

CONTRIBUIÇÕES DE WALLON PARA AS PESQUISAS COM CRIANÇAS

Um aspecto fundamental na realização de qualquer pesquisa são as suas bases teóricas. É a partir dos conhecimentos já elaborados, aos quais se somam os seus interesses e desejos pessoais, que o pesquisador define os temas e formula as perguntas que objetiva pesquisar. Todas as decisões acerca da metodologia a ser empregada e a análise das informações obtidas no decorrer do trabalho de coleta de dados igualmente são guiadas pelas bases teóricas adotadas.

No caso das pesquisas com crianças, as contribuições de Henri Wallon têm sido inestimáveis, pois agregam conhecimentos muito importantes sobre o desenvolvimento da pessoa em seus diferentes aspectos. E as crianças, de modo especial, precisam ser pensadas de forma integrada, considerando a forte interdependência entre as dimensões cognitiva, afetiva e psicomotora. Assim, as pesquisas com crianças precisam tomá-las como pessoas completas e complexas que são.

Dentre as relevantes contribuições deixadas por Wallon, vale lembrar, em primeiro lugar, a ideia de que o ser humano se constitui na interação com o outro, isto é, com o meio físico e social no qual está inserido e com o qual interage diretamente, palco das experiências realmente vividas por ele. Assim, para uma criança adquirir a habilidade de utilizar um computador, por exemplo, não basta hipoteticamente pertencer a uma sociedade informatizada, mas precisa ter possibilidade de manuseá-lo.

Reconhecer as crianças como sujeitos sociais que vivem a sua infância sob específicas condições e que tais condições as afetam profundamente leva os pesquisadores a considerar informações relevantes sobre os ambientes nos quais elas se desenvolvem não só ao elaborar estratégias mais adequadas para ouvi-las, mas também ao procurar entender o que elas dizem. Numa pesquisa feita em Fortaleza , e descrita no artigo "Fala, Menino! Uma Experiência de Pesquisa sobre o Cotidiano da Creche Comunitária na Perspectiva da Criança" (2002), por exemplo, foi muito importante conhecer as casas e o bairro onde as crianças moravam, que praticamente não ofereciam condições para as crianças brincarem, para compreender o grande valor que elas atribuíam aos poucos e danificados brinquedos existentes na creche que frequentavam. Ao mesmo tempo, é preciso conhecer também os vários aspectos que compõem as experiências escolares das crianças para melhor entender os seus pontos de vista, ou seja, saber quais os estilos de interação que são aí estabelecidos, as estratégias de ensino utilizadas, as rotinas adotadas, os espaços e materiais disponíveis.

A RECORRÊNCIA DA DINÂMICA DE PERSEVERAÇÃO

Como o discurso das crianças pequenas expressa igualmente o seu modo particular de pensamento, vale destacar também os conhecimentos originados da teoria walloniana acerca desse tema. Nas pesquisas que temos realizado (ver bibliografia final), temos identificado várias das dinâmicas próprias do pensamento da criança apontadas por Wallon em As Origens do Pensamento na Criança (1989), mas a que mais chamou a atenção, pela sua frequência, foi a perseveração.

A perseveração refere-se ao fato de que as crianças não necessariamente mudam de tema de acordo com a solicitação do seu interlocutor. Em repetidas ocasiões as crianças davam inicialmente a impressão de que não haviam entendido a pergunta feita, pois, na verdade, ainda estavam se referindo a um tema tratado anteriormente. Vejamos um exemplo tirado da pesquisa mencionada acima: uma criança, Fernando [nome fictício], após falar do que gostava em relação ao que sua professora fazia, é solicitado a dizer do que ele não gostava e responde: "Ela faz... faz nome pra nós fazer e... coisinhas pra nós pintar, e... caneta"; a pesquisadora procura confirmar a informação perguntando "E você não gosta disso?". Fernando responde que sim, com a cabeça.

Durante a realização da Consulta sobre a Qualidade na Educação Infantil essa forma típica do pensamento da criança esteve bastante presente. Essa pesquisa pretendeu ouvir os vários segmentos que compõem as instituições de educação infantil acerca da qualidade nessa etapa da educação. A apreensão das opiniões e sentimentos das crianças que frequentam creches e pré-escolas, geralmente excluídos do processo de discussão sobre políticas e práticas educacionais, foi uma estratégia fundamental para ampliar o conhecimento relativo ao direito e à qualidade da educação destinada às crianças de até 5 anos .

A pesquisa abrangeu quatro estados brasileiros (Ceará, Minas Gerais, Pernambuco e Rio Grande do Sul), onde foram formados grupos de meninos e meninas, de 5 a 6 anos de idade, que frequentavam instituições públicas ou privadas. As crianças ouviam uma história contada pelas pesquisadoras sobre um lugar onde só havia escolas para crianças grandes e onde os adultos queriam construir uma escola ou creche (a denominação dependia de como as crianças chamavam a instituição que frequentavam) "bem legal" para as pequenas, mas não sabiam como ela deveria ser. O grupo era, então, estimulado a dar sugestões para isso. Após opinarem sobre como essa creche/escola "bem legal" deveria ser, as crianças eram convidadas a dizer o que não poderia ter nesse lugar, para que não se tornasse "chato". Além disso, respondiam a perguntas a respeito do que gostavam e do que lhes desagradava na creche ou pré-escola que frequentavam. Como todo esse levantamento era realizado num único encontro, era comum que as crianças continuassem a referir-se a aspectos positivos da instituição hipotética ou da que elas frequentavam, embora o interlocutor tivesse mudado o foco do diálogo para os aspectos negativos.

ESTRATÉGIAS DE AUDIÇÃO

Essa experiência foi importante para a elaboração de uma estratégia para possibilitar a participação das crianças no processo de aplicação dos Indicadores de Qualidade para Educação Infantil (MEC, 2009). Foi criada uma situação na qual as crianças eram provocadas a participar: dois personagens (João, de 5 anos, e Maria, de 3 anos) iriam ser matriculados na instituição que elas frequentavam e a pesquisadora lhes indagava sobre o que esses novos colegas iriam achar do que ali iriam encontrar, tendo como referência as várias dimensões que compõem os indicadores. Cada grupo, formado por quatro crianças de 4 e 5 anos que frequentavam escolas públicas e privadas na cidade de Fortaleza, participou de dois encontros. Num deles, elas eram estimuladas a falar do que os personagens iriam gostar; e, no outro, sobre o que eles não apreciariam no funcionamento da instituição. Essa opção se mostrou muito oportuna, pois ajudou as crianças a focar a atenção em aspectos diferentes, como foi apontado no relatório "Sugestão Inicial de Estratégia para Ouvir as Crianças nos Indicadores de Qualidade para a Educação Infantil".

Outra característica do discurso infantil também presente foi a contaminação de temas próximos, provocada pelo frágil poder discriminativo, a mutabilidade do fundo conceitual e os desvios e trajetos falsos que o objeto pensado sofre na mente infantil, descritos por Wallon, também em As Origens do Pensamento da Criança. Vale lembrar, no entanto, que tais características são bastante afetadas pelos contextos em que as crianças vivem.

O mesmo acontece em relação às grandes diferenças percebidas nestas pesquisas na qualidade da expressão oral entre as crianças. De um modo geral, aquelas que têm oportunidade de ouvir explicações, opiniões, justificativas, histórias etc., e são estimuladas a fazer isso, utilizam frases muito mais longas e elaboradas. Tais diferenças, portanto, ressaltam as consequências dos currículos praticados, que podem empobrecer ou enriquecer drasticamente as possibilidades comunicativas das crianças.

AFETIVIDADE EM FOCO

Por outro lado, têm sido muito relevantes os conhecimentos produzidos por Wallon acerca da influência mútua entre a atividade intelectual e a afetividade; e, no campo da afetividade propriamente dito, o papel das emoções nas interações estabelecidas pelas crianças. Tais conhecimentos provocam uma maior atenção aos aspectos afetivos das relações estabelecidas entre os pesquisadores e as crianças, levando, por exemplo, a um tempo de contato com elas o mais estendido possível e a uma preocupação especial com o envolvimento das crianças nas estratégias utilizadas.

Também é preciso sublinhar o papel do movimento na origem do pensamento e para a expressão da criança. Wallon mostrou que, quando a função simbólica ainda é frágil, se apoia nos gestos, projeta-se através deles (o que levou Wallon a chamá-la de projetiva). É fácil lembrar como as crianças pequenas utilizam o corpo inteiro e especialmente os braços para expressar-se, complementando as suas possibilidades de comunicação. É indispensável, portanto, que as pesquisas atentem para todas essas formas de a criança comunicar-se; se tolhemos o seu movimento, não apenas dificultamos a sua expressão, como também a impedimos de organizar o seu pensamento.

UMA PESQUISA: A INSTITUIÇÃO DE EDUCAÇÃO INFANTIL E O PROCESSO DE CONSTRUÇÃO DO EU PELA CRIANÇA

Com base nas teses de Wallon, esta pesquisa – cujos detalhes podem ser encontrados em A Construção do Eu no Contexto da Educação Infantil: Influências da Escola e a Perspectiva da Criança sobre esse Processo – analisou como as instituições de Educação Infantil contribuem para que a criança se construa como sujeito. A construção do eu, portanto, foi concebida como um processo de constante individuação possibilitado pelas interações sociais. Assim, assimilando o que capta do outro, identificando-se e se diferenciando deste outro, a criança vai se constituindo como pessoa.

Um dos objetivos deste trabalho foi captar a perspectiva da criança acerca das ações da instituição direcionadas a ela, procurando entender como são atendidas as suas necessidades individuais e coletivas.

A pesquisa de campo focou uma turma de escola pública, de crianças de 5 anos de idade. De acordo com a concepção walloniana, as crianças dessa faixa etária estão vivendo uma importante etapa, o estágio personalista, momento em que suas motivações estão direcionadas para perceber-se como uma pessoa diferenciada do outro, completa e única. Dessa forma, as experiências vividas nesse estágio irão influenciar esse caminho de diferenciação.

Para apreender situações mais especificamente relacionadas à construção do eu, foram estudados os aspectos centrais das três "etapas" do personalismo descritas por Wallon, a saber: a oposição, marcada pelo conflito com outro; a sedução, marcada pelo desejo de aprovação social; e a imitação, marcada pelo apego ao outro. Esses aspectos direcionaram também a captação de cenas ocorridas na escola, que foram filmadas e exibidas durante entrevistas com as crianças e também em entrevista com a professora. Falaremos aqui somente das entrevistas com as crianças.

Essas entrevistas aconteceram de forma coletiva com a finalidade de apreender o que elas pensavam e como se sentiam acerca das suas experiências na instituição mais intimamente relacionadas a aspectos da construção do eu. Das situações observadas, chamamos atenção para as que envolveram conflito, que revelam como essas situações eram conduzidas pela professora. Na perspectiva walloniana os conflitos interpessoais são propulsores de desenvolvimento. No estágio personalista essa ideia toma uma dimensão especial, pois a criança precisa se opor ao outro para demarcar seu espaço, em busca da afirmação de si. Wallon, em A Evolução Psicológica da Criança, destaca que muitas vezes trata-se de uma oposição "totalmente negativa, que a faz defrontar-se com as outras pessoas sem outro motivo que o de sentir sua própria independência, a sua própria existência".

As reações dos adultos às situações de conflito repercutem na maneira como as crianças se apropriam e internalizam essas vivências. Ou seja, o adulto pode interferir de forma mais acolhedora, propiciando autonomia às crianças na resolução dos conflitos, ou de forma mais repressiva, negando-os ou abafando-os. No contexto investigado, foi identificada a predominância dessa segunda opção.

A cena a seguir exemplifica essa evidência e envolve uma situação de conflito entre uma ordem da professora e o desejo das crianças: Numa mesa sentaram-se três meninas e, em outra, três meninos. Diz a professora: "Não quero aborrecimentos, vocês têm que misturar meninos e meninas...". Ela indaga quem vai trocar de lugar. As crianças entreolham-se e demonstram insatisfação por terem de trocar de lugar. No entanto, Léo se prontifica a sair e é elogiado pela professora: "Muito bem, Léo!". Logo, certamente motivada pelos elogios recebidos pelo colega, Gabriela também se prontifica a sair de sua mesa.

RECONHECIMENTO, DIFERENCIAÇÃO

Vale destacar, nesse exemplo, que a criança que se subordina é digna de apreço, um dado importante para a constituição de si. A renúncia de seu desejo, pela criança, abafa uma possível situação de conflito e é movida por outro desejo, o de ser apreciada pela professora.

O comportamento das duas crianças ilustra também a necessidade delas de agradar ao adulto para sentirem-se reconhecidas e valorizadas, aspecto característico da idade da sedução que faz parte do processo de construção do eu descrito por Wallon.

No episódio a seguir, um menino registra, mais do que resistência a uma ordem, um certo sentido de autonomia, a marca de seu desejo: a professora anuncia que vai fazer a contagem das crianças que estão sentadas em círculo. A cada número que fala, ela aponta para uma criança, que deve levantar-se e voltar a sentar-se rapidamente. Quando chega a vez do Ítalo, ele se nega a levantar-se. A professora se irrita e fala alto: "Se levanta Ítalo! Você tem de se levantar, você não é diferente dos outros... E aí? SE LEVANTA!" Mas Ítalo permanece parado. A professora vai até ele e o puxa, fazendo-o levantar e sentar-se, dando prosseguimento à atividade.

A professora não possibilita às crianças sugerirem modificações ou opinarem se querem ou não participar da atividade. Transparece seu desejo de governar uma turma homogênea e indiferenciada, em que a única vontade a ser considerada é a sua e, consequentemente, sua pouca tolerância a quem se opõe a ela. Mas, ao contrário, Ítalo imprime a diferença, delimitando o espaço da alteridade. Como escreve Heloysa Dantas em A Afetividade e a Construção do Sujeito na Psicogenética de Wallon: "na oposição ao outro e a seus produtos o sujeito simultaneamente se constrói e se liberta".

Foi muito interessante conhecer o ponto de vista das crianças sobre as cenas gravadas em vídeo. Uma delas tratava do conflito provocado pelo fato de uma menina não querer sair de uma mesa onde só havia meninas. Após a exibição da situação, as crianças afirmam que a menina deveria ter obedecido à professora. A pesquisadora estabelece o seguinte diálogo com elas:

Pesquisadora: E como vocês se sentem tendo que sempre misturar meninos com meninas?

Vítor: Eu gosto.

Pesquisadora: Algumas vezes as crianças gostam de ficar só com as meninas ou só com os meninos?

Crianças (em uníssono): Não, não...

Pesquisadora: Mas a Bárbara gosta...

Crianças (em uníssono): Gosta...

O que se percebe é que o desejo parece não poder ser pronunciado uma vez que não coincide com o que é permitido. Na sujeição ao outro (ao desejo da professora e talvez ao que imaginam ser o desejo da pesquisadora) as crianças se autoanulam, negando o próprio desejo. Admitem apenas que Bárbara, conhecida e reconhecida por sua rebeldia, deseja algo diferente do permitido. Algo que chamou atenção, no entanto, foi a plena compreensão, pelas crianças, do sentimento de Bárbara:

Pesquisadora: E como é que a Bárbara se sentiu?

Rafaela: Ruim.

Gabriela: Triste.

Portanto, o sentimento da criança acerca da experiência vivenciada é identificado, indicando que as crianças reconhecem um mal-estar na situação, que desencadeia "tristeza" ou uma disposição afetiva "ruim". Elas também parecem sentir-se tristes quando obrigadas a trocar de lugar. Se não condenam a atitude da professora, pelo menos há o reconhecimento de que o desfecho do acontecido é desagradável.

Outra situação filmada referiu-se diretamente à necessidade das crianças de agradarem aos adultos: algumas crianças levantam-se e cantam entusiasmadamente uma música religiosa, seguida por gestos que são imitados pelos demais colegas. Elas parecem querer mostrar que sabem cantar, que têm habilidade e talento. Ao assistirem a cena, as crianças revelam apreender muito bem o que a professora espera delas, mencionam captar que existe uma intencionalidade em agradar à professora, como ilustra o diálogo a seguir:

Pesquisadora: Por que vocês acham que as crianças estavam cantando e dançando?

Vítor: Tavam louvando.

Pesquisadora: E o que a professora achava disso?

Rafaela: Bom.

Gabriela: Ela tava cantando também.

Pesquisadora: E como a professora estava gostando, o que as crianças faziam?

Gabriel: Ficava quieto...

As crianças se referem a uma intenção que se efetiva em seus fins: a professora está seduzida, pois não só permite que a cena aconteça, como também se envolve, acompanhando os cânticos. E a sensação de que agrada ao outro é o que possibilita uma autoadmiração ou autovalorização, o que é essencial à construção da autoimagem da criança, segundo Wallon.

No entanto, vale refletir sobre a ênfase dada ao aspecto disciplinar nesse contexto em que as crianças convivem, o que explica a grande ocorrência, em suas falas, de alusão ao que está ou não nos conformes da ordem estabelecida. Por exemplo, o "ficar quieto" é algo que lhes é constantemente solicitado. A mobilidade dos corpos e a expressão espontânea de alegria só são possíveis nos momentos permitidos pela professora.

Numa outra cena que focava a necessidade de imitação das crianças, a professora estava orientando atividades de escrita com elas, perguntando: "Que letra é essa? E essa?". Uma criança está numa mesa com seus companheiros e reproduz o modelo da professora, indagando: "Que letra é essa? E essa?"; os colegas entram na brincadeira respondendo: "a", "e"... Ao assistirem a essa situação, as crianças, em geral, ressaltaram o que tem de bom no exercício do papel da professora. No entanto, chamou atenção a fala de Vítor que, ao contrário dos demais colegas, que se identificaram com a professora, se colocou no lugar do aluno:

Pesquisadora: Por que vocês acham que as crianças brincam de ser professora?
Rafaela: É porque a gente faz as coisas de escrever, de pintar...
Vítor: É porque é ruim
Pesquisadora: É ruim?
Vítor: É ruim, é ruim (...). É mau.
Pesquisadora: Por quê?
Vítor: Porque tem que ser obediente...

A fala de Vítor pareceu um desabafo de como se sente na instituição: oprimido diante do controle e da disciplina aos quais é cotidianamente submetido. Ele parece se encontrar amarrado ao modelo de criança que desempenha na instituição, o que o impede de fazer diferente numa situação lúdica. Se, por um lado, Vítor revela seu aguçado senso crítico ao se referir, mesmo que indiretamente, à postura controladora da professora, por outro, demonstra o quanto se rende ao regime de controle ao qual está submetido.

Analisando os dados apresentados, foi possível constatar que os estilos de interação estabelecidos no contexto investigado estão sendo prejudiciais às possibilidades de expansão de potencialidades pelas crianças, na medida em que elas são cotidianamente oprimidas, não escutadas, não incentivadas a criar, opinar ou participar ativamente da dinâmica proposta.

Não se pode negar que momentos significativos de promoção da individualidade da criança ocorrem, como as situações de exercício da "graça e sedução". Contudo, essa promoção seria mais facilitada se esses conflitos propiciassem reflexões e houvesse tolerância às suas manifestações.

É preciso também considerar que as ações na escola parecem ser constantemente direcionadas a uma uniformização de gostos, comportamentos e atitudes. Como indica Wallon em As Origens do Caráter na Criança, nessas condições, as possibilidades de diferenciação individual são empobrecidas.

OUVIR E ENTENDER A CRIANÇA

Esperamos ter mostrado, por meio da descrição de parte das pesquisas, a grande contribuição da obra de Wallon para a apreensão da perspectiva das crianças acerca das suas experiências em ambientes educativos. Sua teoria tem permitido uma maior compreensão a respeito dos diversos aspectos que compõem o complexo desenvolvimento da pessoa, ressaltando as interações que são estabelecidas entre ela e o meio, desde o nascimento.

As informações oferecidas por Wallon têm ajudado a aperfeiçoar estratégias para a escuta de crianças, assim como a entender melhor o que elas nos falam. Portanto, têm promovido a ampliação do nosso conhecimento.

Excertos

O HOMEM EM TODA A SUA INTEGRIDADE

por Laurinda Ramalho de Almeida

O ensino deve permitir o aprimoramento contínuo do cidadão e do trabalhador. Em toda a parte, a escola deve ser um centro de difusão da cultura

A produção intelectual de Henri Wallon resultou em contribuição relevante tanto para o fortalecimento da psicologia como da pedagogia; uma produção consagrada ao estudo do homem em situação real, alertando sempre que tal estudo exige o conhecimento das condições orgânicas e socioculturais do desenvolvimento. Para respeitar a natureza dos fenômenos e abarcar a realidade como ela é, Wallon não se furtou a apresentar as complexidades, as contradições, as asperezas, retratando o indivíduo em sua totalidade, sem fragmentação.

A CRIANÇA E O ADULTO

"Para a criança, só é possível viver sua infância, Conhecê-la compete ao adulto. Contudo, o que irá predominar nesse conhecimento, o ponto de vista do adulto ou da criança?" (A Evolução Psicológica da Criança. Trad. Claudia Berliner; São Paulo: Martins Fontes, [1941] 2007, p. 9).

"A realização, pela criança, do adulto que ela deve vir a ser não segue portanto um traçado sem atalhos, bifurcações ou desvios. As orientações mestras a que normalmente obedece com frequência também são ocasião de incertezas e hesitações. Mas quantas outras ocasiões mais fortuitas também vêm obrigá-la a escolher entre o esforço ou a renúncia! Surgem do meio, meio das pessoas e meio das coisas [...]. Em suma, é o mundo dos adultos que o meio lhe impõe e disso decorre, em cada época, certa uniformidade de formação mental. Mas nem por isso o adulto tem o direito de só conhecer na criança o que põe nela. E, em primeiro lugar, a maneira como a criança assimila o que é posto nela pode não ter nenhuma semelhança com a maneira como o próprio adulto o utiliza. Se o adulto vai mais longe que a criança, a criança, à sua maneira, vai mais longe que o adulto. Tem disponibilidades psíquicas que um outro meio utilizaria de outra forma. Várias dificuldades, coletivamente superadas pelos grupos sociais, já possibilitaram que muitas dessas disponibilidades se manifestassem. Com a ajuda da cultura, outras ampliações da razão e da sensibilidade não estão potencialmente na criança?" (A Evolução Psicológica da Criança, op. cit., pp. 13-14).

"De etapa em etapa a psicogênese da criança mostra, pela complexidade dos fatores e das funções, pela diversidade e oposição das crises que a pontuam, uma espécie de unidade solidária, tanto dentro de cada uma como em todas elas. É contrário à natureza tratar a criança fragmentariamente. Em cada idade, ela é um todo indissociável e original. Na sucessão das suas idades, é um só e mesmo ser sujeito a metamorfoses. Feita de contrastes e de conflitos, sua unidade é por isso mais suscetível de ampliações e novidades" (A Evolução Psicológica da Criança, op. cit., p. 198).

COMO ESTUDAR A CRIANÇA?

A OBSERVAÇÃO

"Rigorosamente falando, não existe observação que seja um decalque exato e completo da realidade. Supondo, aliás, que existissem tais observações, ainda seria preciso fazer todo o trabalho de observação. Embora, por exemplo, o registro cinematográfico de uma cena já corresponda a uma escolha muitas vezes bem determinada – escolha da própria cena, do momento, do ponto de vista etc. –, será apenas sobre o filme, cujo mérito está em tornar permanente uma sequência de detalhes que teriam escapado ao espectador mais atento e sobre os quais ele passa a poder retornar sempre que quiser, que poderá começar o trabalho direto de observação. Não há observação sem escolha ou sem alguma relação, implícita ou não. A escolha é dirigida pelas relações que possam existir entre o objeto ou o acontecimento e nossa expectativa, em outras palavras, nosso desejo, nossa hipótese ou mesmo nossos simples hábitos mentais [...]. A grande dificuldade da observação pura como instrumento de conhecimento é que em geral utilizamos um quadro de referências sem sabê-lo, uma vez que seu emprego é impensado, instintivo e indispensável [...]. Caso se trate de observação, a formulação que damos dos fatos em geral corresponde a nossas relações mais subjetivas com a realidade, às noções práticas que usamos para nós mesmos na vida diária. Por isso, é muito difícil observar a criança sem atribuir-lhe algo de nossos sentimentos ou de nossas intenções. Um movimento não é um movimento, mas o que a nosso ver ele exprime. E, a menos que se tenha muita prática, é a suposta significação que registramos, omitindo em maior ou menor medida a indicação do próprio gesto. Todo esforço de conhecimento e de interpretação científica sempre consistiu em substituir o que é referência instintiva ou egocêntrica por um outro quadro cujos termos sejam objetivamente definidos [...] Portanto, é de primeira importância definir claramente, para todo objeto de observação, qual é o quadro de referências que corresponde à finalidade do estudo" (A Evolução Psicológica da Criança, op. cit., p. 17, 18).

"[...] Portanto, o observador tem de tomar o cuidado de não atribuir aos gestos da criança a plena significação que poderiam ter no adulto. Por maior que seja sua aparente identidade, ele não deve lhes dar outro valor senão aquele que o comportamento atual do sujeito pode justificar. Em cada idade, o tipo de comportamento da criança corresponde aos limites de suas aptidões, e o do próprio adulto está, em cada momento, rodeado de um cortejo de circunstâncias que permitem identificar em que nível da vida mental ele se desenrola. Estar atento para essa diversidade de significação é uma das principais dificuldades, mas uma condição essencial da observação científica" (A Evolução Psicológica da Criança, op. cit., p. 22).

INTEGRAÇÃO ORGANISMO-MEIO

"Nunca pude dissociar o biológico do social, não porque os julgue redutíveis um ao outro, mas porque me parecem tão estritamente complementares desde o nascimento, que é impossível encarar a vida psíquica sem ser sob forma de suas relações recíprocas" (A Evolução Psicológica da Criança. Lisboa: Edições 70 [1941] 1995, p. 14).

"Cada idade da criança é como um canteiro de obras cuja atividade presente é assegurada por certos órgãos, enquanto se edificam massas imponentes, que só terão razão de ser em idades posteriores. O objetivo perseguido é apenas a efetivação do que o genótipo, ou gérmen do indivíduo, continha em potência. O plano segundo o qual cada ser se desenvolve depende, portanto, de disposições que ele receba de sua primeiríssima formação. Sua realização é necessariamente sucessiva, ela pode não ser total e, por fim, as circunstâncias modificam-na em maior ou menor medida. Por isso, distinguiram do genótipo o fenótipo, que consiste nos aspectos sob os quais o indivíduo se manifestou durante a vida. A história de um ser é dominada pelo seu genótipo e constituída pelo seu fenótipo" (A Evolução Psicológica da Criança, op. cit., p. 31).

"Estas revoluções de idade para idade não são improvisadas por cada indivíduo. São a razão da infância, que tende à realização do adulto como exemplar da espécie. Estão inscritas, em seu momento, no desenvolvimento que deve levar a isso. As incitações do meio são sem dúvida indispensáveis para que se manifestem e, quanto mais elevado o nível da função, mais ela sofre as determinações dele: quantas atividades técnicas ou intelectuais moldam-se à imagem da linguagem, que para cada um é a do seu meio. Mas a variabilidade do conteúdo conforme o ambiente apenas comprova ainda melhor a identidade da função, que não existiria sem um conjunto de condições das quais o organismo é o suporte. É ele que deve levá-la à maturação para que o meio a desperte. O momento das grandes mutações psíquicas está, portanto, marcado na criança pelo desenvolvimento das etapas biológicas" (A Evolução Psicológica da Criança, op. cit., p. 192).

"O meio é um complemento indispensável ao ser vivo. Ele deverá corresponder a suas necessidades e a suas aptidões sensório-motoras e depois psicomotoras [...] Não é menos verdadeiro que a sociedade coloca o homem em presença de novos meios, novas necessidades e novos recursos, que aumentam possibilidades de evolução e diferenciação individual. A constituição biológica da criança ao nascer não será a única lei de seu destino posterior. Seus efeitos podem ser amplamente transformados pelas circunstâncias de sua existência, da qual não se exclui sua possibilidade de escolha pessoal" ("Os Meios, os Grupos e a Psicogênese da Criança". In: Werebe, M. J. e Nadel-Brulfer, J. (orgs.). Henri Wallon. São Paulo: Ática, [1959], 1986 [Coleção Grandes Cientistas Sociais], pp. 168, 169).

"Vários meios podem, então, superpor-se para um mesmo indivíduo e até entrar em conflito. Alguns são vergonhosos, outros vantajosos, alguns são renegados e outros desejados. Assim a existência dos meios reais pode ser duplicada, para a criança, por julgamento de valor ou por aspirações imaginativas, no decorrer dos quais ela opõe a situação que desejaria para si e a situação do outro ao seu próprio destino. Os meios em que vive e aqueles com os quais sonha são a forma que deixa nela sua marca. Não se trata de uma marca recebida passivamente. Com certeza, os meios dos quais a criança depende começam por comandar muitas de suas condutas, e o hábito precede à escolha. Mas a escolha pode se impor, seja para resolver desacordos, seja para comparar seus próprios meios a outros" ("Os Meios, os Grupos e a Psicogênese da Criança". op. cit., p. 171).

O PAR EMOÇÃO-RAZÃO

"Com efeito, a emoção só pode se desenvolver ao obliterar a sensibilidade esteroceptiva ou epicrítica, ao falsear ou abolir o jogo das representações. Enquanto mantém o organismo ocupado com reações opostas à atividade de relação, o abalo visceral e muscular que propaga a emoção e a impõe se acompanha de impressões igualmente em conflito com a percepção das coisas exteriores; são impressões inteiramente subjetivas de força ou de angústia, de terror ou de impulso, de impotência ou de impetuosidade, que constituem a repercussão imediata de impressões ligadas às alterações da respiração, da circulação, assim como aos espasmos do tubo digestivo e das vísceras, às câibras ou ao relaxamento dos músculos. Submersa por essa onda de sensibilidade protopática, a imagem das coisas apaga-se e a insensibilidade às excitações exteriores chega a tal ponto que as mutilações deixam de ser sentidas. O homem encolerizado só toma conhecimento de seu arrebatamento, esquece seus verdadeiros motivos e perde a noção do que o cerca. As ideias e pensamentos que lhe são possíveis conservar não passam de um reflexo mais ou menos fantástico de suas veleidades emotivas. Caso ele se entregue às manifestações extremas de fúria, chegará a uma obnubilação total da percepção e da inteligência. Sendo mais violento, por ser mais cego e indiferente à visão exata da realidade, o medo age da mesma forma, criando fantasmas que não passam de uma intuição de si mesmo, projetada nas três dimensões do espaço. É o que acontece com todas as invenções aterrorizantes encontradas no folclore ou na alma crédula dos covardes. [...]

Não ceder a emoções significa ter adquirido a capacidade de lhes contrapor a atividade dos sentidos ou da inteligência. Escapar aos terrores de um bombardeio é ter adquirido o hábito de não interromper uma leitura, uma carta, uma conversa, o polimento de um anel ou a busca cuidadosa de traças em suas roupas. É agarrar-se o mais depressa possível a lembranças ou ideias, na falta, naturalmente, de ocupações motoras, maneira muito mais frágil de opor a atividade de relação à atividade emocional. O sangue-frio vem exclusivamente da preponderância habitual da percepção ou do pensamento sobre a emoção [...]" (As Origens do Caráter na Criança. Trad. Heloysa Dantas. São Paulo: Nova Alexandria, [1945] 1995, pp. 86, 87).

AS ORIGENS DO PENSAMENTO NA CRIANÇA

"A dependência do pensamento com relação a seus comportamentos anteriores é muito marcada na criança. As situações e os problemas podem ser, pelo do adulto, afastados de toda contingência não intelectual. Com a criança, pelo contrário, a atividade mental não pode, frequentemente, explicar-se senão sob o ponto de vista de sua atividade total. [...]

"O par é a estrutura, mais elementar sem dúvida, sem a qual o pensamento não existiria. É uma espécie de molécula intelectual onde se encerra o ato de pensamento sob uma forma mais simples e mais indiferenciada. Um único e mesmo objeto não poderia ser pensado senão por desdobramento. A tautologia A é A, que não acrescenta nada ao conhecimento do objeto, é, contudo, indispensável à sua tomada de consciência como objeto. No plano do pensamento, o par é anterior ao objeto isolado. Este pode existir apenas através daquele [...]" (As Origens do Pensamento na Criança, op. cit., p. 80).

"No par, afrontam-se duas condições, dois momentos exatamente complementares do pensamento: unidade e diferenciação, assimilação e pluralidade. Para que ele se exerça, é preciso ou sair da unidade, descobrindo nessas partes constituintes, ou reduzir o múltiplo descontínuo através de um ato de assimilação. Segundo os casos, cabe à unidade ou à pluralidade se fazer ou se desfazer. Na verdade, pode-se apenas ter coexistência exata entre a unidade e o múltiplo. A atividade intelectual pode conhecer apenas a unidade do múltiplo ou a unidade no múltiplo, e o múltiplo é, inicialmente, para ela, apenas oposição ou desdobramento: o secundário, o antes ou o depois, o outro, que seriam inconcebíveis sem uma intuição inicial única. [...]" (As Origens do Pensamento na Criança, op. cit., p. 81).

PLANO DE REFORMA LANGEVIN-WALLON

"O primeiro princípio, o que pelo seu valor próprio e amplitude das suas consequências domina os restantes, é o princípio da justiça. Oferece dois aspectos que de forma alguma são opostos, mas antes complementares: a igualdade e a diversidade. Todas as crianças, quaisquer que sejam suas origens familiares, sociais, étnicas, têm igual direito ao desenvolvimento máximo que a sua personalidade implica. Não devem encontrar nenhuma outra limitação que não seja a das suas aptidões. O ensino deve, portanto, oferecer a todos possibilidades iguais de desenvolvimento, abrir para todos o acesso à cultura, democratizar-se menos por uma seleção que afaste do povo os mais dotados do que por uma elevação contínua do nível cultural do conjunto da nação. A introdução da 'justiça na escola' pela democratização do ensino porá cada um no lugar que suas aptidões lhe apontam para o maior bem de todos. A diversidade das funções já não será regulada pela fortuna ou pela classe social, mas pela capacidade para desempenhar a função. A democratização do ensino, consoante a justiça, assegura uma melhor distribuição das tarefas sociais. Serve ao interesse coletivo ao mesmo tempo que ao bem-estar individual." (Plano de Reforma Langevin-Wallon. In: Merani, Alberto L. Psicologia y Pedagogia. As Ideias Pedagógicas de Henri Wallon. México: Ed. Grijalbo, 1969, p.157).

(Observação: 2º. Princípio: dignidade igual de todas as ocupações; 3º.: Orientação; 4º.: Cultura geral)

"A primeira consequência dos princípios que acabam de ser anunciados é a reconstrução completa do nosso ensino sobre um novo plano que apresente mais simplicidade, unidade e coerência [...]

A segunda consequência importante dos princípios diretores da reforma do ensino é a necessidade de prever um conjunto de medidas de justiça social, cuja ausência seria a negação de qualquer reforma[...]

Por último, se se quiser conservar a mais alta qualidade do ensino, é justo preservar a dignidade dos professores, assegurar o seu prestígio social, favorecer o seu aperfeiçoamento profissional. É justo dar-lhes uma situação material e moral em relação com o seu valor técnico e humano e o lugar eminente que tem na vida nacional." ("Plano de Reforma Langevin-Wallon". In: Merani, Alberto L. Psicologia y Pedagogia. As Ideias Pedagógicas de Henri Wallon. México: Grijalbo, 1969, pp. 159-161).

"A cultura geral representa o que aproxima e une os homens, enquanto que a profissão representa frequentemente o que os separa. Uma cultura geral sólida deve, portanto, servir de base para especialização profissional e prosseguir durante a aprendizagem, de forma que a formação do homem não seja limitada e travada pela do técnico. Num estado democrático em que todo trabalhador é cidadão, é indispensável que a especialização não seja um obstáculo para a compreensão de problemas mais amplos e que uma ampla e sólida cultura liberte o homem das estreitas limitações do técnico. [...] A organização nova do ensino deve permitir o aperfeiçoamento contínuo do cidadão e do trabalhador. Em toda a parte, desde as imensas aglomerações urbanas até as mais pequenas povoações, a escola deve ser um centro de difusão da cultura. Por meio duma adaptação exata às condições regionais e às necessidades locais, deve permitir a todos o aperfeiçoamento da cultura. Depositária do pensamento, da arte, da civilização passada, deve transmiti-los, ao mesmo tempo que é agente ativo do progresso e da modernização. Deve ser o ponto de encontro, o elemento de coesão que assegura a continuidade do passado e do futuro" ("Plano de Reforma Langevin-Wallon", op. cit., p. 159).

ATUAÇÃO DO PROFESSOR

"A orientação do ensino torna-se psicológica a partir do momento em que pretende adaptar-se ao espírito e à natureza da criança [...]. Se se pode adquirir o sentido pedagógico não é, certamente, por simples rotina mas pela experiência, e toda experiência pode ser reduzida a preceitos ou princípios[...]" (Psicologia e Educação da Infância. Trad. Ana Rabaça. Lisboa: Ed. Estampa. [1973] 1975, p. 356).

"A formação psicológica dos professores não pode ficar limitada aos livros. Deve ter uma referência perpétua nas experiências que eles próprios podem pessoalmente realizar" (Psicologia e Educação da Infância, op. cit., p. 366).

"A disciplina pode ser encarada sob perspectivas diferentes conforme a tarefa do professor é considerada puro ensino ou educação e se o aluno é considerado uma simples inteligência à qual se fornecem conhecimentos ou como um ser a formar para a vida.

No primeiro caso, é a concepção tradicional de disciplina que prevalece: disciplina formal e coletiva. Trata-se de obter a tranquilidade, o silêncio, a docilidade, a passividade das crianças de tal forma que não haja nada nelas nem fora delas que as possa distrair dos exercícios passados pelo professor, nem fazer sombra à sua palavra.

Mas notou-se que proceder desta forma era prejudicar o próprio ensino, proibir a colaboração indispensável da criança, reprimir o que melhor pode desenvolver e confirmar os seus conhecimentos como a sua curiosidade, o seu interesse, as suas iniciativas intelectuais; verificou-se que não havia forma de se dirigir à inteligência da criança sem se dirigir à criança no seu todo [...]" (Psicologia e Educação da Infância, op. cit., p. 379)

"Mas observado à letra (que o ensino seja sempre devido às iniciativas do aluno), este princípio tem o risco de restringir singularmente o campo desse ensino. Numa época em que o domínio das ciências e das técnicas se torna cada vez mais a condição do progresso social, submeter a aquisição deste às invenções de que a criança é capaz parece uma distância desproporcionada entre as suas capacidades espontâneas e o imenso patrimônio social que lhe competirá fazer prosperar. Neste sistema de educação, o afastamento do professor que é o representante deste patrimônio prova de que modo o ponto de vista individual prevalece sobre o da sociedade" (Psicologia e Educação da Infância, op. cit., p. 232).

"A grande dificuldade e o paradoxo do ensino é ter de desviar a criança da sua experiência imediata e espontânea para a interessar por aquilo que não se relaciona diretamente com as suas necessidades ou desejos atuais.

O principal estímulo da atenção é o interesse. Suscitá-lo deve ser, evidentemente, o objetivo essencial do educador [...]" (Psicologia e Educação da Infância, op. cit., p. 370)

Bibliografia comentada

UM PENSADOR DIALÉTICO

Por Maria Letícia Barros Pedroso Nascimento

A obra de Wallon permanece como um vigoroso desafio a todos aqueles que se dispõem a estudar a infância

Uma detalhada bibliografia da produção de Henri Wallon pode ser encontrada na publicação Henri Wallon: Psicologia e Marxismo, de René Zazzo, da página 183 a 198. Parte de seus artigos foi recolhida e publicada em números especiais da Revista Enfance, em 1959 (n°s 3 e 4), em 1963 (n°s 1-2), em 1968 (nos 1-2), e no Boletim da Associação dos Psicólogos Escolares, que dedicou um número póstumo, denominado "Homenagem a Henri Wallon", em 1967. Seguem abaixo os livros que publicou.

1925

A Criança Turbulenta – Estudo sobre os Retardamentos e das Anomalias do Desenvolvimento Motor e Mental

Resultado de sua tese de doutorado, quando, trabalhando nos hospitais Bicêtre e Salpêtrière, observou 200 crianças com síndromes psicomotoras, que buscou explicar. O estudo foi modificado pelas observações sobre os soldados feridos na Primeira Guerra, experiência que o levou a rever algumas das concepções neurológicas que havia delineado. Ao apropriar-se das informações da neuropatologia da época, Wallon adotou uma "interpretação global do funcionamento do sistema nervoso em três níveis: um palidal, arcaico, contemporâneo do nascimento; um nível [...] subcortical, responsável pela conduta emocional e pela motricidade automática; e um nível cortical, correspondente à organização da conduta voluntária e consciente", observou Heloysa Dantas em A Infância da Razão. O texto apresenta suas principais teses, ainda embrionárias, e afirma a importância de uma análise comparativa entre o patológico e o normal. Para explicar a psicomotricidade, Wallon destaca o tônus como ponto de intersecção entre o plano motor e o mental. Traduzido e publicado no Brasil, pela editora Vozes em 2007.

1934
As Origens do Caráter na Criança

Conjunto de cursos ministrados, entre 1921 e 1931, na Sorbonne. Descreve a criança nos três primeiros anos de vida, destacando comportamento emocional, individualização do corpo próprio e formação da consciência de si como processos paralelos e complementares do desenvolvimento nessa faixa. Apresenta a gênese dos processos psíquicos. Detalha a teoria da emoção no início do desenvolvimento e seu papel biológico (tônus) e social (primeira forma de comunicação). A afetividade, o movimento e a inteligência constituem campos funcionais entre os quais se distribui a atividade da criança. Quase que indiferenciados, no princípio do desenvolvimento, vão, aos poucos, diferenciando-se. O mesmo processo – da indiferenciação para a diferenciação – acontece na constituição da pessoa. A origem da evolução psíquica está ligada ao desenvolvimento dos diferentes sistemas de sensibilidade interoceptiva (visceral), proprioceptiva (sensações ligadas ao equilíbrio, às atitudes e aos movimentos) e exteroceptiva (voltada para as excitações de origem exterior), que vão se completando ao longo do primeiro ano de vida, e que atuarão conjuntamente (associações intersensoriais), unificando o campo da percepção, já no terceiro mês de vida, da mesma forma que a consciência corporal, primeira forma do "eu", é o resultado das diferenciações e das ligações destas sensibilidades. Na perspectiva walloniana, a constituição do "eu" é ao mesmo tempo a construção do "não eu", a percepção do que é próprio e do que é exterior a si mesmo. Traduzido e publicado pela editora Nova Alexandria em 1995.

1941

A Evolução Psicológica da Criança

Organizado em três partes. A primeira, "A infância e seu estudo", apresenta questões metodológicas para o estudo da criança, destacando a observação como importante recurso. Na segunda parte, "As atividades da criança e sua evolução mental", apresenta os processos psíquicos presentes no desenvolvimento e, na terceira, "Os níveis funcionais", trata a afetividade, o ato motor, o conhecimento, a pessoa e descreve os grandes conjuntos funcionais, suas fases e seus tipos. Por meio da síntese sua teoria psicogenética, discute o processo de desenvolvimento, em cada estágio, indicando a prevalência de um conjunto de comportamentos e funções que visam o crescimento do eu ou de um conjunto de ações e funções que buscam o conhecimento da realidade. Assim, a emoção é o primeiro elo entre o recém-nascido e o outro, pois os movimentos impulsivos ou reflexos, descargas musculares provocadas por sensações internas de desconforto, são interpretados pelo meio, transformando-se em manifestações expressivas, constituindo uma troca emocional, uma forma de comunicação. O movimento, por sua vez, concretiza as competências e a comunicação das crianças, assumindo simultaneamente o papel de ação direta sobre o meio físico e o de expressão de sentimentos. O pensamento vai sendo constituído de maneira sincrética, com o predomínio da subjetividade, prevalecendo os critérios afetivos sobre os lógicos e objetivos. Estabelece-se uma mistura entre sujeito e objeto, entre os vários planos da realidade, e, por meio do jogo de faz de conta, as crianças vão aprendendo a lidar com realidades para além da experiência imediata. Outra contribuição conceitual original de Wallon são os princípios funcionais, ou a regulação da emoção, do movimento e do pensamento. De acordo com ele, gesto, emoção e conhecimento estão absolutamente integrados no processo de desenvolvimento, numa construção recíproca. A integração funcional é, portanto, um desses princípios. Como desmembrar gesto, expressão e aprendizagem? São situações simultâneas e perfeitamente integradas. Para Wallon, nas formas de atividades das crianças, a dominância ora é afetiva, de acúmulo de energia (centrípeta, de absorção, voltada à edificação íntima), ora cognitiva, de dispêndio de energia (centrífuga, de desgaste, orientada para o estabelecimento das relações com o mundo exterior), o que caracteriza um outro princípio, o da alternância funcional. Em alguns momentos ou em algumas circunstâncias, a emoção prepondera sobre a razão; em outros, acontece o contrário, o que caracteriza um terceiro princípio, o da preponderância funcional. O desenvolvimento é, assim, um processo marcado por rupturas e crises. Traduzido e publicado pela editora Martins Fontes em 2007, há também uma edição portuguesa, publicada por Edições 70, na coleção Nova Biblioteca 70, de 1998.

1942
Do Ato ao Pensamento – Ensaio de Psicologia Comparada

Aborda a origem motora do ato mental, apresentando a interdependência entre o motor e o intelectual. Apresenta os recursos que a criança dispõe para interagir com o ambiente como as atividades predominantes naquele momento. Wallon organizou sua teoria a partir dos campos funcionais – emoção, movimento e inteligência – e destacou os princípios funcionais pelos quais cada criança constrói seu próprio desenvolvimento. Nas palavras de Nadel (1986), em Henri Wallon, "as atividades estão sempre orientadas para a realização de objetivos, e estes são tributários dos meios sobre os quais vão se aplicar". Tais objetivos se multiplicam conforme a criança se desenvolve, o que leva Nadel (p.13) a considerar que: "1) os progressos das crianças não representam o acréscimo de novas competências; implicam remanejamentos, questionamentos ligados a mudanças de utilização de uma mesma função ou a mudanças de objetivos; 2) cada 'idade' tem suas modalidades próprias de adaptação, que constituem a fórmula ótima de utilização do repertório atual de meios comportamentais; 3) cada 'idade' tem suas finalidades adaptativas, ligadas às novas potencialidades funcionais emergentes e aos novos campos de atividades disponíveis. Nesse sentido, preponderância, alternância e integração definem o desenvolvimento como um processo descontínuo, marcado por rupturas, por crises, nas quais as formas de atividade construídas pela criança passam por reformulações. Ora preponderam os aspectos afetivos – subjetivos, com ênfase na construção do eu –, voltados para o mundo humano, ora os cognitivos – objetivos, com ênfase na elaboração do contexto –, voltados para o mundo físico, que se alternam, proporcionando características próprias a cada etapa. Apesar das diferenças, afetividade e racionalidade constroem-se reciprocamente, o que revela a integração funcional. A ordem para a realização do desenvolvimento, além disso, é permeada pelo ambiente e pela cultura onde a criança está inserida. A concepção walloniana de infância, então, mostra-se essencialmente dinâmica. Traduzido e publicado pela editora Vozes em 2008.

1945
As Origens do Pensamento na Criança

Obra organizada em dois livros, o primeiro sobre os meios intelectuais e o segundo sobre as tarefas intelectuais. Reúne entrevistas com e diálogos entre crianças de 5 a 9 anos, que frequentavam o Laboratório de Psicobiologia da Criança, destacando as características do pensamento sincrético, o conflito entre o discursivo, verbal e o emocional, pré-verbal, os níveis da linguagem: tônica (reação ao som, não ao conteúdo); sensório-motora (musical: rima, ritmo); semântica. Wallon explica a passagem de uma inteligência das situações, sincrética, a uma inteligência representativa, sustentada por um sistema de signos linguísticos. Apresenta a teoria dos pares como estruturas elementares do pensamento e as contradições presentes no processo, culminando com a apresentação do pensamento sincrético. Na segunda parte do livro, Wallon descreve os prelúdios psicomotores do pensamento, apresentando a imitação e suas relações com a representação. A imitação, contemporânea da atividade projetiva, é o prelúdio da representação. O tônus é sua base corporal e concreta. Entretanto, a imitação não é uma repetição imediata, mas, percebida uma situação, a criança a recria, estruturando os elementos sensoriais num conjunto para reconstituí-los, depois de um período de "incubação". Dessa forma, "poder" imitar reflete uma fusão à situação ou ao objeto, ou seja, é perceber, elaborar e copiar uma ação no aqui e no agora. "Querer" imitar, contudo, se sobrepõe a essa ação: de um lado, aquilo que é percebido, imaginado ou desejado, e, de outro, aquilo que é realizado, ou a representação do modelo. Na terceira parte do livro, Wallon aprofunda suas teses sobre a passagem das estruturas orgânicas para as estruturas intelectuais do pensamento. No processo de passagem da imitação para a representação se coloca o simulacro, que corresponde à mímica, cuja ação se realiza independente da permanência do objeto. Em A Infância da Razão, Heloysa Dantas diz que "[...] o objeto é absorvido pelos gestos que o supõem. Trata-se de uma utilização do objeto sem objeto, apenas postural e gestual [...]". Sua origem está nas atitudes e posturas que servem de modelo à criança. Trata-se de uma ação realizada à imagem de um ato verdadeiro que dispensa o objeto real. O simulacro contém em si o real, a imagem e os signos. O desdobramento da realidade só será possível quando o símbolo e, principalmente, o signo se tornarem instrumentos de significação, pressupondo a representação do real. A linguagem vai organizar esse universo simbólico e permitir sua expressão. Traduzido e publicado pela editora Manole em 1989.

1959

Psicologia e Educação da Infância

(número especial de Enfance, nºs 3-4)

Trata-se de coletânea de artigos e conferências sobre o desenvolvimento e as relações entre a psicologia e a educação. Reproduz o número especial da revista Enfance, 3-4, publicado em 1959. Os artigos estão organizados por temas: o desenvolvimento psicomotor, o desenvolvimento social, psicologia comparada e psicologia e educação. Essa coletânea traz a aula inaugural de Wallon no Collège de France, em 1937. A publicação foi traduzida para o português e pode ser encontrada em duas edições: a da Editorial Estampa, de 1975, e a da Editorial Vega, de 1979, cujo título é Psicologia e Educação da Criança.

1963

Objetivos e Métodos da Psicologia

(número especial de Enfance, nºs 1-2)

Outra coletânea de artigos e conferências, que reproduz o número especial da revista Enfance, 1-2, de 1963. Trata dos fundamentos epistemológicos e metodológicos da psicologia. A tradução portuguesa é da Editorial Estampa, de 1975.

WALLON NA VISÃO DE SEUS COMENTADORES

René Zazzo lista 133 publicações sobre a vida e a obra de Wallon, até 1975, em francês. São destacadas abaixo aquelas que foram traduzidas para o português ou publicações brasileiras.

1978

Henri Wallon: Psicologia e Marxismo, de René Zazzo (Psychologie et Marxisme. Paris: Éditions Denoël/Gonthier, 1975)

O livro reúne artigos e conferências de Zazzo sobre Wallon. Zazzo foi discípulo de Wallon e o sucedeu no Laboratório de Psicobiologia da Criança e na direção da Revista Enfance. O livro apresenta a vida e a obra de Wallon e seu posicionamento político-filosófico, além de trazer cuidadoso levantamento de todos os livros e artigos publicados até então. Editorial Vega, 1978.

1983

Para Conhecer Wallon: Uma Psicologia Dialética , de Pedro da Silva Dantas

Apresenta as ideias de Wallon em relação a outras linhas filosóficas e psicológicas. Traz detalhada biografia. Editora Brasiliense, 1983.

1977

Psicologia e Pedagogia – As Ideias Pedagógicas de Henri Wallon, de Alberto Merani (Psicologia y Pedagogia : Las Ideas Pedagógicas de Henri Wallon. Barcelona: Editorial Grijalbo, 1969)

Apresenta as relações entre psicologia e pedagogia para Wallon, com destaque para os segundos. Traz o Plano Langevin-Wallon na íntegra. Editorial Notícias, 1977.

1981

Teoria das Emoções. Introdução à Obra de Henri Wallon, de M. Martinet (Théorie des Émotions. Introduction à l'Oeuvre d'Henri Wallon. Paris: Aubier Montaigne, 1972)

A autora pretende introduzir o leitor à teoria walloniana, por meio da teoria das emoções. Moraes Editores, 1981.

1990

A Infância da Razão: Uma Introdução à Psicologia da Inteligência de Henri Wallon, de Heloysa Dantas

Trata das questões da inteligência em Wallon, apresentando semelhanças e diferenças com a teoria de Piaget. Editora Manole, 1990.

1986

Henri Wallon , organizado por Maria José G. Werebe e Jacqueline Nadel-Brulfert

Antologia na qual as organizadoras, na introdução, discutem a atualidade das ideias de Wallon. Volume 52 da Coleção Grandes Cientistas Sociais. Editora Ática, 1986.

1995

Henri Wallon – Uma Concepção Dialética do Desenvolvimento Infantil, de Izabel Galvão

Apresenta aspectos da vida e obra de Wallon. Editora Vozes, 1995.

2000

Henri Wallon – Psicologia e Educação, organizado por Abigail A. Mahoney; Laurinda R. Almeida

Resultado do projeto desenvolvido pelo Grupo de Estudos Henri Wallon: Psicólogo e Educador, do Núcleo temático de Ensino e Formação de Professores do Programa de Estudos Pós-Graduados em Psicologia da Educação da PUC-SP. Editora Loyola, 2000.

1981-1983

Estádios e Conceito de Estádio de Desenvolvimento da Criança na Psicologia Contemporânea (2 v.), de Tran-Thong (Stades et Concept de Stade de Développement de l'Enfant dans la Psychologie Contemporaine. Paris: J. Vrin, 1967)

O autor traça um estudo comparativo entre as teorias de Freud, Piaget, Gesell e Wallon, do ponto de vista dos estágios. Editora Afrontamento, 1981-1983.

1992

Piaget, Vigotski, Wallon: Teorias Psicogenéticas em Discussão, de Yves de la Taille e outros

O livro, cujo objetivo é apresentar as teorias dos três psicólogos mencionados no título, traz dois artigos escritos por Heloysa Dantas sobre Wallon. Um deles, "A Afetividade e a Construção do Sujeito na Psicogenética de Wallon", e o outro, "Do Ato Motor ao Ato Mental: A Gênese da Inteligência". Editora Summus, 1992.

2004

Introdução à Psicologia da Educação – Seis Abordagens, de Kester Carrara

Uma das abordagens é a walloniana, apresentada pelo capítulo "A Criança Concreta, Completa e Contextualizada: A Psicologia de Henri Wallon", de Maria Letícia Nascimento. Editora Avercamp, 2004.

Referências bibliográficas

Bastos, A B. B. I. A Construção da Pessoa em Wallon e a Constituição do Sujeito em Lacan. Petrópolis: Vozes, 2003.

Bastos, A B. B. I. Interações e Desenvolvimento no Contexto Sócio-Educativo da Creche. São Paulo: Dissertação de mestrado – Pontifícia Universidade Católica/SP, 1995.

Cruz, S. H.V. (org.). A Criança Fala: a Escuta de Crianças em Pesquisas. São Paulo: Cortez, 2008.

Cruz, S. H.V. "A Qualidade da Educação Infantil, na Perspectiva das Crianças". In: Oliveira-Formosinho, J. (org.). A Escola Vista pelas Crianças. Porto: Porto Editora, 2008.

Cruz, S. H.V. "Fala, Menino! Uma Experiência de Pesquisa sobre o Cotidiano da Creche Comunitária na Perspectiva da Criança". Educação em Debate, Fortaleza, v. 2, n. 44, 2002, pp. 20-35.

Cruz, S. H.V. "Ouvindo Crianças: Considerações sobre o Desejo de Captar a Perspectiva da Criança acerca da sua Experiência Educativa". 27ª Reunião Anual da Anped, Caxambu (Minas Gerais), 2004.

Cruz, S. H.V. e Andrade, Rosimeire C. de A. Sugestão Inicial de Estratégia para Ouvir as Crianças nos Indicadores de Qualidade para a Educação Infantil. Relatório Técnico. Fortaleza, 2008.

Dantas, H. "A Afetividade e a Construção do Sujeito na Psicogenética de Wallon". In: Dantas, H.; Oliveira, M. K. & De La Taille, Y. Piaget, Vygotsky e Wallon: Teorias Psicogenéticas em Discussão. São Paulo: Summus, 1992.

Dantas, H. A Infância da Razão. Uma Introdução à Psicologia da Inteligência de Henri Wallon. São Paulo: Manole, 1990.

Dantas, P. da S. Para Conhecer Wallon: uma Psicologia Dialética. São Paulo: Brasiliense, 1983.

Galvão, I. Henri Wallon. Uma Concepção Dialética do Desenvolvimento Infantil. Petrópolis: Vozes, 1995.

Galvão, I. "Apresentação da tradução brasileira". In: Wallon, H. A Evolução Psicológica da Criança. São Paulo: Martins Fontes, 2007.

Mahoney, A. A.; Almeida, L. R. A Constituição da Pessoa na Proposta de Henri Wallon. São Paulo, Edições Loyola, 2004.

Merani, Alberto L. Psicologia e Pedagogia (As Ideias Pedagógicas de Henri Wallon). Lisboa: Editorial Notícias, 1977.

Nascimento, M. L. B. P. "A Criança Concreta, Completa e Contextualizada: a Psicologia de Henri Wallon". In: Carrara, K. Introdução à Psicologia da Educação: Seis Abordagens. São Paulo: Avercamp, 2004,
pp. 47-69.

Ogilvie, B. Lacan: a Formação do Conceito de Sujeito. Trad. Dulce D. Estrada. Rio de Janeiro: Zahar, 1988.

Schramm, S. M. O. A Construção do Eu no Contexto da Educação Infantil: Influências da Escola e a Perspectiva da Criança sobre esse Processo. Ceará: Tese de Doutorado – Faced/ Universidade Federal do Ceará, 2009.

Wallon, H. "Em Resposta a Piaget". Cadernos Internacionais de Sociologia, v. X, 1951.

Wallon, H. "O Papel do Outro na Consciência do Eu". In: Werebe, M. J. e Nadel-Brulfer, J. (orgs.). Henri Wallon. São Paulo: Ática, [1959] 1986 [Coleção Grandes Cientistas Sociais], pp. 158-167.

Wallon, H. A Evolução Psicológica da Criança. Trad. Cristina Carvalho. Lisboa: Edições 70, [1941] 1998 (Nova Biblioteca 70).

Wallon, H. A Evolução Psicológica da Criança. Trad. Claudia Berliner; São Paulo: Martins Fontes, 2007.

Wallon, H. As Etapas da Personalidade na Criança in Objetivos e Métodos da Psicologia. Lisboa, Editorial Estampa, 1975.

Wallon, H. As Origens do Caráter na Criança. Trad. Heloysa Dantas. São Paulo: Nova Alexandria, 1995.

Wallon, H. As Origens do Pensamento na Criança. Trad. Doris S. Pinheiro; Fernanda A. Braga. São Paulo: Manole, 1989.

Wallon, H. Do Acto ao Pensamento. Trad. J. Seabra-Dinis. Lisboa: Portugália, 1966 (Colecção Problemas, 10).

Wallon, H. Do Ato ao Pensamento – Ensaio de Psicologia Comparada. Petrópolis: Vozes, 2008.

Wallon, H. Psicologia e Educação da Infância. Lisboa: Editorial Estampa, 1979.

Wallon, H. Psicologia e Educação da Criança. Trad. Ana Rabaça e Calado Trindade. Lisboa: Editorial Vega, 1979.

Wallon, H. "Plano de Reforma Langevin-Wallon". In: Merani, A. L. Psicologia y Pedagogia. As Ideias Pedagógicas de Henri Wallon. México: Grijalbo, 1969

Werebe, M. J. G.; Nadel-Brulfert, J. (orgs.). Henri Wallon. São Paulo: Ática, 1986 (Coleção Grandes Cientistas Sociais, 52).

Zazzo, R. "Wallon, Psicólogo da Infância". In: Wallon, H. A Evolução Psicológica da Criança. Lisboa: Edições 70, 1998.

Zazzo, R. Henri Wallon. Psicologia e Marxismo. Lisboa: Vega, 1978.